カーキーのおもしろコラム

15本
勝負！

安藤 カーキー

東京図書出版

前口上

私は「遅れてきた青年」であった。

1969年は全共闘運動のピークで、1月にバリケード封鎖していた東大安田講堂が陥落し、夏には広島大学も陥落した。浪人していたため1年遅れで入学した1970年、広島大学のキャンパスは脱力感漂う「つわものどもが夢の跡」であった。私が活躍すべき「舞台」はすでに無くなっていた。

哲学科のゼミに参加すると「哲学では食えませんよ。こんなところによく来たね、ウヒョヒョヒョヒョ」とのたまう哲学ゾンビの教授たち。つまり彼らの下で哲学を30年学べば自分もこうなるのだと理解した。時あたかも実存主義ブーム。しかしサルトルの言う「アンガジェ（社会参加）」とはただ単に「選挙で共産党に投票しよう」という無邪気で馬鹿げた呼びかけでしかなかった。それの何処が哲学なのか？ そして思った。哲学って学んじゃいけないんだ、きっと。

そんな鬱々とした気分の春夏秋が終わろうかという11月25日。三島由紀夫自決事件のニュースが飛び込んできた。そうか、彼は自分で「舞台」を作ったんだ。関ヶ原でも池田屋でもない。時代が用意した「舞台」ではなく、自分でセッティングした自衛隊市ヶ谷駐屯地で「切腹&介錯」という誰1人理解できないセレモニーで「人生の晴れ舞台」を見事に締めくくって見せたのだ。

翌1971年の秋。2年生の私が出場した中四国剣道大会で我が広島大学は団体優勝した。そして私は考えた。この後、東京開催の全日本学生剣道大会に出場すれば、もう剣道はやめられない。哲学科も大学もやめられない。だとすると、その後卒業するであろう私は……？　哲学ゾンビになる他ないのだろうか？

剣道部を退部し、その後大学も中退した私は東京へと旅立った。哲学を学ぶのではなく哲学を生きるために。自分を実験台にしてこの人生を生きたらどうなるか？それを自分の目で見届けたいと思ったのだ。そして思索を重ねて幾星霜。それは試合に向けての「準備運動」のはずだった。いつかは大きな試合場、例えて言えば日本武道館、あるいはカンヌ映画祭のような晴れ舞台を夢見ていた。が、それらは結局文字通り夢幻。私は試合場に立つことなく今も無名のままである。つまるところ私にとって人生とは「永遠の準備運動」に他ならない。

そこで最後の一勝負。思索の結晶「コラム15本」を世に問いたい。

遠からん者は音に聞け！　近くば寄って目にも見よ！　いざ勝負じゃ!!

カーキーのおもしろコラム15本勝負！◇目次

第一試合

没後50年

①三島由紀夫論

三島由紀夫論

香港の学生が警官に銃で撃たれるニュースを見てじっちゃんは呟く。

「これ警官が暴徒化しとるやん」「死んだんな?」「いや、一命は取り留めた」「良かったなあ」「大学に籠城したり火炎瓶投げたり、昔の日本思い出すわ」

「昔っていつ?」「50年前」「生まれてないわ」「日本中の大学で全共闘運動が吹き荒れとった」「全共闘?」「左翼学生の集まりや。ヘルメットかぶって手拭いで覆面してゲバ棒もって、火炎瓶投げよった」「そんで?」「東大の安田講堂をバリケード閉鎖して授業も出来ん、入試も出来ん、69年の東大入試は中止や」「あの東大が?受験生どないしたん?」「京大受けた」「ギャグかいな」「ホンマや、そいで翌年、京大中退して東大受け直した」「マジで?」「その安田講堂がテレビ中継で機動隊に完敗して広島大学も連敗して学生運動は大体終わった」

「香港もそうなるんかいな?」「さあ」「中国派、じゃなかった50年前の右翼はその頃何しよったん？」「軍服着て日本刀もって自衛隊に乱入して、憲法改正しろと演説して……」「ちょっと待って、付いて行けんわ、演説して、それから？」「切腹して、介錯で首はねた」「それやっぱ幕末の話やろ？」「昭和45年」「まるっきし猟奇殺人事件やん」「皆びっくりしとったで」「そらビックリするわ」

「三島由紀夫、知ってる？」「ミシマってあの作家の？『金閣寺』とか『潮騒』の？」「そう」「三島が切腹したん？」「そう」「何で？」「知らん」「よっしゃ、その謎、ボクが解いちゃる。じっちゃんの名にかけて！」

「謎は既に解かれている！」おっとそのお声は、武蔵野の金田一少年と呼ばれたヘンシューチョーではあーりませんか。「少年ではありません！」「でも解いちゃったんでしょ？　謎」「っていうか、ウィキペディアの〈三島事件〉見れば延々50頁、裁判調書の詳細がこれでもか、これでもかと書かれている」「分かった！　これにて一件落着！」「一件落着はしたけれど、50年たった今も誰も理解はしていない」「やっぱ切腹ですか？」「それと天皇陛下万歳」「何故右翼になったのか？」「そして」「まだあるんですか？」「ボーイズラブ」「ギャッ！　三島がＬＧＢＴだったとでも？」「三島を介錯し、自分も切腹した森田という学生がその相手だった」「年は？」「森田25歳三島45歳」「う〜ん、謎がテンコ盛りじゃないですか?!」「金田一少年、何処に行ったかしら？」「いいえ孫を呼ぶには及びませぬ。じっちゃん自らその謎、解いてみせましょうぞ」「じゃあ、今すぐ行って頂戴、憂国忌。今日が二人の命日だから」

ということでやって来ました「没後四十九年三島由紀夫氏追悼の集い〈憂国忌〉」。

令和元（２０１９）年11月25日、東京・星陵会館大ホール・参加資料代２０００円・主催‥憂国忌実行委員会。

会館表の路上にはパトカーが1台。なるほど

シンポジウム

右翼の集会扱いなのだナ、と思いつつ進んでいくとホールの入り口には献花の神棚が設置され、木札には三島由紀夫ともう一つ、森田必勝の名があった。会場内は白髪スーツ姿の爺様の群れで7割の入り。黙禱に続くメインイベントはシンポジウム。テーマは「三島由紀夫の天皇論」、菅野誠一郎（三島由紀夫研究会事務局長）が司会進行を務め、パネリストは金子宗徳（里見日本文化学研究所長）、荒岩宏奨（展転社代表取締役）、藤野博（作家・文芸評論家）。その発言を聞いていると、どうやら三島の天皇論は複雑なものらしい。単純に天皇を賛美するどころか天皇を批判し、否定し、恨んでさえいる。そのキーワードが昭和41年の『英霊の声』。その有名なフレーズは「などてすめろぎは人間（ひと）となりたまいし」。それって一体どういう意味？

◆二・二六事件と現人神（あらひとがみ）

その意味は「何で天皇陛下は人間になったたん？」あの戦争中、天皇は神様だった。子どもが「そんなん嘘やん」など言おうものなら「不敬罪である」と憲兵に殴られ、親が刑務所に入れられた。ところが敗戦と共に、昭和天皇は自ら「人間宣言」して、実は人間でしたとぶっちゃけたのだ。それに納得しなかったのが大正14年に生まれて21年間「現人神」を信じ続けて生きてきた三島由紀夫だった。三島12歳の昭和11年に起きた二・二六事件。「今の世の中が悪いのは天皇の側近が悪いから。だから悪い奴らを征伐して敬愛する天皇ご自身に政治をしてもらおう」と、青年将校ら1500人がクーデターを起こし、首相官邸などを襲撃、高橋是清大臣ら4人を殺害したが、その後鎮圧され処刑された。その処刑された青年将校の霊（英霊）及び特攻隊員の霊（英霊）が何十人、何百人「我らが神と信じ、命を捧げた天皇が今更人間ですとは何事か！」と呻き、叫ぶのだ。「などてすめろぎは人間(ひと)となりたまいし」

会場入り口

◆葉隠（はがくれ）

では三島の理想の天皇は何処にいるのか？それを探るべくじっちゃんは三島の生涯の愛読書を読んでみた。あの「武士道とは死ぬ事なりと見つけたり」の『葉隠』である。読んでみて驚いた。武士ってさあ、実は殿さまの家来の事なんだよ。だから「武士道」ってのは「家来の道」つまりただの「従業員マニュアル」に過ぎない！　時は1700年頃、九州佐賀鍋島藩の家老、山本常朝が語るには、真の忠臣は殿の言いなりであってはならない。ある時、殿が些細なことに腹をたて家来5人の切腹を命じるのを常朝は受け流し、殿に催促されても「そのうちに」などと言ってるうちに沙汰止みとなる。家

献花台

来のくせに何故殿の命令を聞かないのか？　それは殿に後世に名をなす名君になって欲しいから。つまり殿様というスーパースターのプロデューサー役を任じているわけだ。でもそれが真の忠臣と言えるのかどうか？　その根拠が「武士道とは死ぬことである。生か死かいずれか一つを選ぶとき、まず死をとることである」つまり常に死を覚悟しながら事に於いて正しい判断をし、藩を安寧に導き殿を名君に育て上げる。それが山本の言う武士道なのだ。だとしたらこの書をこよなく愛する三島は、歴史に残る名君から「よく忠義を尽くした」と褒められる忠臣になりたかったに違いない。では昭和を生きる三島にとって主君とは……？　天皇以外ありえない。ところがその天皇は二・二六事件や特攻隊の忠臣たちを裏切り「人間（ひと）となりたまいし」。そう、三島の悲劇とは主君のいない忠臣の悲劇なのだ。三島にとって主君は、理想の天皇はこの世に存在しない。つまり永遠の無い物ねだりなのだ。

◆剣道と「関の孫六」

それでも武士道をこよなく愛する三島に欠けていたもの。それは武士にふさわしい肉体であった。昭和20年、徴兵検査乙2種で男としてのプライドをずたずたにされた彼の転機は『金閣寺』を書き上げた昭和30年。ボディービルを始めたのだ。これは本人も驚く程の効果をあげ、わずか半年で奇跡の筋肉を獲得した。筋肉を得たら次にそれを使いたくなるのが人の常。三島はまずボクシングを始め、次いで剣道を始めた。月金は剣道、火木土はボディービルという生活を続け、昭和41年には剣道四段、43年には剣道五段を取得している。この三島の剣道シーンに登場するのが太平洋戦争アンガウル島玉砕戦の生き残り舩坂弘であった。舩坂と三島は旧知の間柄であったが渋谷の警察道場で再会する。そして、舩坂は戦友たちの玉砕を描いた『英霊の絶叫』の自費出版を目論み、その原稿を三島に見せる。時あたかも『英霊の声』を書き上げたばかりの三島はこれに大いに興味を示し、原稿の添削指導を買って出て、さらには出版社を紹介し、本の序文を引き受けたのだった。出版された本は大反響を呼び、その印税で舩坂は南の島に英霊たちの慰霊碑を建立した。話はそこで終わらない。そのお礼にと刀剣コレクターの舩坂が三島に贈ったのが「関の孫六」。そう自衛隊市ヶ谷駐屯地で三島切腹の際、介錯に使われたあの日本刀である。それだけではない。居合も学びたいという三島の為に、舩坂は息子に命じ、大森流居合を伝授している。その形の7本目は「順刀」、「介錯」。つまり切腹の作法であった。

◆ホモ・セクシャル

三島没後23年。三島の父も母も妻の瑤子夫人も亡くなった頃1冊の本が出版され、三島ファン及び三島研究家らの度肝を抜いた。福島次郎『三島由紀夫〜剣と寒紅』である。それは三島25歳福島20歳の2人の出会いから始まる、同性愛の赤裸々な告白であった。ここまで書くか?!　という容赦ない冷徹な筆使いで、そのリアルな性描写と心理描写はただの暴露本とは思えない。それもその筈、著者は熊本在住の工業高校教員で、芥川賞にもノミネートされた実力者であった。この本に描かれた昭和41年の夏が素晴らしい。三島は、明治新政府に武士の魂日本刀のみで戦い敗れた「神風連」取材のため熊本を訪れ、その手伝いを福島に依頼したのだ。ケンカ別れをしてから十数年ぶりの再会であった。2人は久々の愛欲に身を委ね、三島は昼間取材で志士たちのエピソードに目を爛々と輝かせながら聞き入り、そして夜はキャバレーで女たちと遊んでアリバイを作り、その手の店がまだ熊本には無いので博多の中州まで繰り出して、福島の知り合いのゲイボーイと熱烈なキスを交わす。まさに遅れてきた青春である。夏休みである。４泊５日の修学旅行である。そこには何の飾り気もなく少年のようにはしゃぐ三島の姿が生き生きと描かれる。

◆ロマンとロマンス

三島は市ヶ谷自衛隊での演説の最後、皇居に向かって「天皇陛下万歳」を三唱した。その皇居には69歳の昭和天皇がいた。しかもテレビのニュースを見ていたという。反乱である。クーデターである。いやがうえにも二・二六事件を

憂国忌会場

思い出した事だろう。昭和天皇にとって生涯最も印象的な出来事は御前会議の敗戦決断と二・二六事件であったという。事件で腹心の部下を殺された34歳の若き天皇は、怒り狂い、近衛兵を自ら率いて賊軍を討伐する、とまで言った。今回はどうか？　肝心の自衛隊は崩壊状態。ならば米軍の出動を要請しようと思ったかどうか？　昭和天皇は公の席でこの事件については何らコメントを残していない。ただその場に同席した入江侍従長日記には「三島事件の感想を述べられた」とあるだけでその内容については書かれていない。

だとすると、三島の想いは伝わらなかったのだ。全ては無駄で無意味な悪あがきだったのか？　いやいやそうでもあるまいと私は思う。それはロマンとロマンスの物語。夢と理想を語るのがロマンならば、漢字で書いて浪漫。自衛隊バルコニーという大舞台で一世一代の演説をし、自己の主張を自衛隊隊員のみならずテレビマスコミを通じて全日本国民に訴え、そしてこれまで映画の中で、あるいは写真集の中でしか演じた事の無い念願の、念願の、本物の切腹を敢行し、左腹にズブリと短刀を刺しこみ、それを一気に右に引き、しかも銘刀関の孫六で介錯をしてくれるのが最愛の人、森田必勝なのだ。人生でこれ以上の至福があるだろうか？　そう、三島は自ら定めた人生最後の日に、浪漫とロマンス、この二つをしかと手に入れてあの世に旅立ったのだ。おそらく1970年の日本で、いや世界で最も幸せな男だったに違いない。合掌。

◆参考文献

『三島由紀夫〜剣と寒紅』福島次郎　文藝春秋　1998
『関ノ孫六〜三島由紀夫、その死の秘密』船坂弘　光文社カッパブックス　1973
『葉隠』奈良本辰也　三笠書房　2010
『三島由紀夫が復活する・新書版』小室直樹　毎日ワンズ　2019
『昭和45年11月25日』中川右介　幻冬舎新書　2010
ウィキペディア「三島事件」2019

第二試合

美術館へようこそ

②宮沢賢治論
（世田谷文学館　２０１３）
③司馬遼太郎論
（横浜そごう美術館　２０１７）
④谷川俊太郎論
（東京オペラシティ・アートギャラリー　２０１８）
⑤ＬＧＢＴを巡って
（東京都写真美術館　２０１８）

宮沢賢治論

賢治は文学的野心に満ちていた。しかし生きている間は全く無名だった。賢治は昭和8年37歳で亡くなったのだが、もし長生きしていたら。きっと昭和10年に始まった芥川賞直木賞に応募していたに違いない。果たして賢治は受賞しただろうか？　応募作『銀河鉄道の夜』について直木賞選考委員はきっとこう評したに違いない。「とても読みづらい」阿刀田高。「二度読みなおしたがやはりよくわからなかった」林真理子。「宮沢賢治氏〈銀河鉄道の夜〉は賛否両論を分かつ問題作であった。よほど用心しいしい読んだつもりだが、理解不能と言うのが本音である」浅田次郎。

「ちょっと待ってよ、その言い草。私の賢治に何てことというの?!」おっとそのお声は武蔵野線の夜明けと呼ばれたヘンシューチョーでは、あーりませんか。「いや、あの、その、私が言ったんじゃなくて選考委員が」「それは2013年今回の直木賞でしょ?」「多分」「しかも賢治の作品じゃなくて宮内悠介〈ヨハネスブルグの天使たち〉の選評だってば」「やはり落っこちましたか」「賢治は落っこちていません!」「ほんの例え話ですがな」「ああ、それにしても〈よだかの星〉はよかったなあ」「醜いあひるの子がその後白鳥にもなれなくてお星さまになるお話」「自分の身を焼いてお星さまになるの。あの悲しい感じがたまらない」「あれもそう?〝あめゆじゅとてちてけんじゃ〟」「〈永訣の朝〉ね。妹のトシが24歳で亡く

世田谷文学館表

なった時の臨終の言葉。切ないのよねえ」「庭に降るみぞれ雪を取ってきてくださいって意味だとか」「でも一番有名なのは、雨ニモマケズ風ニモマケズ」「あれは詩？　それとも人生訓話？」「っていうか、35歳の賢治が死を覚悟して遺言のように手帳に書き留めたもの」「へえ、二宮金次郎かと思いました」「馬鹿おっしゃい、私の賢治に何てことを！」「ヒョエ〜ごめんなさい」「いまどきね、賢治の悪口を言ったらタダじゃすまないって」「冗談もオチオチ言えませんね」「嘘だと思ったら今すぐ世田谷に行ってきて。賢治サポーターが何百人と集まっているから。そんでもって思い切り殴られてくると良くてよ」

というわけでやってきました世田谷文学館「没後80年　宮沢賢治・詩と絵の宇宙——雨ニモマケズの心」展、２０１３年7月13日↓9月16日、観覧料一般¥８００、主催：公益財団法人せたがや文化財団、世田谷文学館。

タイトルはイマイチ意味不明だが、賢治の絵本に的を絞り原画や挿絵２００点を一挙大公開しようというもの。それに関連して8月は毎週絵本作家によるトーク＆サイン会¥５００が開かれていた。

◆絵本作家・伊勢英子「永遠のそこ――幼年時代と原風景」

『よだかの星』などの絵で知られる伊勢英子の人気は凄い。トークショーには定員150人満杯の英子&賢治ファンが駆けつけた。伊勢さんは賢治だけでなくゴッホの追っかけもしているらしく、2人の共通点について熱心に語る。2人とも議員の息子で多兄弟の長男。賢治には清六という弟がいたがゴッホにもテオという弟がいた。生前は全く無名だった2人の天才の作品はその弟たちの管理によって散逸せず後世の評価につながった。あるいはもう一つの共通点「狂気」を言外に匂わせる。そして絵本作家から見た賢治について語る。賢治の作品は絵を描こうとしてドキッとする。描けない描写が多い。例えば『風の又三郎』の「空の仕掛けが外れる」ってどういうこと？　そもそも「ガラスのマント」って一体……?!『よだかの星』のラストってどう表現すればいいの？　それを聞いて私は安心した。だって賢治の作品って、賢治にははっきり見えていてそれを熱心に描写するのだけれど、読んでいる人には見えなくてチンプンカンプンってことが多いんだもの。

◆『銀河鉄道の夜』の謎

『銀河鉄道の夜』を初めて読んで驚いたのは外国の話だったって事（笑）、しかも「イジメられっこ」の話だったのにもビックリ。主人公のジョバンニにはカムパネラという親友がいるのだけれど、最近では彼もいじめっ子のザネリのグループとつるんでジョバンニをシカトしている。ケンタウル祭の夜、ジョバンニは病弱の母のために牛乳を買いに出て疲れて寝てしまう。そして見た夢が夜空の銀河を走る鉄道の旅。ここまではいいとして、わからないのが次の描写「青白く光る銀河の岸に銀色の空のすすきが、もうまるでいちめん、風にさらさらさら、ゆられてうごいて、波を立てているのでした」「その天の川の水はガラスよりも水素よりもすきとおって、ときどき眼の加減か、ちらちら紫色の細かな波を立てたり、虹のようにぎらっと光ったりしながら声もなくどんどん流れていき、野原にはあっちにもこっちにも燐光の三角標が、うつくしく立っていたのです」。わかる？　例えばこの作品を映画にするとして一体どう映像化するの?!　途方に暮れちゃうよ。次に驚くのがやけにリアルな心理描写。というのも列車に乗り込んできたタイタニック沈没の犠牲者の少女と仲良く話すカムパネラの姿を見て、ジョバンニが異常な嫉妬心を燃やすのだ。「どうしてこんなにひとりさびしいのだろう。けれどもカムパネラなんかはあまりにもひどい、僕といっしょに汽車に乗っていながらまるであんな女の子とばかり話しているんだもの。僕はほんとうにつらい」オイオイ、ジョバンニって同性愛だったのか？　いつのまにかカムパネラを見失いやがて夢から覚めたジョバンニを待っていたのは川の遭難事故。水に落ちたザネリを助けようとしたカムパネラ自身が溺れて行方不明だというのだ。もっとショッキングなのがその時のカムパネラの父親の描写。父は息子が川で行方不明になったというのに時計をじっと見ているだけ。やがてきっぱりとこう云う。「もう駄目です。落ちてから45分たちましたから」じぇじぇ?!　どんだけ冷酷なオヤジやねん。うーん、この作品はやっぱ謎が多い。わかりにくい。ホンマに童話かいな？　少なくとも直木賞向きではないと私は思う。しかし。芥川賞なら狙えるかも……。

◆賢治と啄木、そしてちょっぴり太宰

賢治は明治29年岩手県花巻生まれ。同じく岩手（現・盛岡市）生まれの石川啄木の10歳下。あるいは青森生まれの太宰治よりは13歳年上という東北三羽ガラス。明治43年、啄木が24歳で『一握の砂』を出版した時、賢治は旧制盛岡中学の2年生。学校の先輩でもある啄木の快挙に大いに刺激を受けたに違いない。大正10年（賢治25歳）上京し旺盛な執筆活動を始めるが、帰郷後、農林学校の先生となる。大正13年（賢治28歳）4月に『春と修羅』、12月に『注文の多い料理店』を自費出版するが全く売れなかったという。以後死ぬまで本は出していない。昭和3年（賢治32歳）過労と栄養失調で倒れる。以後闘病生活を送ることとなり、昭和8年（賢治37歳）肺結核により死去。なんだか悲痛な後半生だね。賢治が死んで2年後の昭和10年、26歳の太宰は『逆行』で第1回芥川賞候補となるも落選。うーん、こうしてみるとやっぱ賢治には芥川賞を取らせたかったなあ。あと2年生きていたらその可能性はあったのだ。

◆賢治と井上ひさし

同じく東北、山形出身で直木賞作家の井上ひさしは、生まれてはじめて買った絵本『どんぐりと山猫』以来の大ファン。賢治を調査し尽くしたらしくこう描写する。「大正15年、30歳の賢治は独居生活を始め、本当の百姓になろうとした。が、おそらく百姓からは馬鹿にされていた。農民の制服を決めようとしたり、トマトを食べたり（当時トマトは観賞用で誰も食べなかった）海外から種を取り寄せてチューリップを作ったり（岩手でチューリップを作ったのは賢治が最初）長靴を履いて（当時長靴なんて農民は誰も履いてなかった）リヤカーで作物を売り歩いた（当時リヤカーは高級品で今ならベンツかＢＭＷ並み）誰も買わないので、売れない作物をタダで配ったりする。そりゃあ、農民は反感を持ちますね」

何ともトホホな「農民の味方」ぶりではある。

◆賢治と宗教

賢治の実家は熱心な浄土真宗で賢治自身も信仰していたのだが18歳で日蓮宗に目覚めて改宗。このため実家は大混乱。宗教対立で父子仲が最悪となった。しかも大正9年24歳の時、賢治は国柱会という当時人気の新興教団に入会した。この教団は満州建国の思想的背景となり、昭和初期一殺多生の暗殺テロを展開する危険教団でもあった。だが賢治はそちらには進まず、寒修行で花巻の夜の町を「南無妙法蓮華経」と大声で唱えながらうちわ太鼓を叩いて歩きまわっていた。その様は地元新聞に「花巻名物は温泉と人形とおこしばかりじゃない。宮沢賢治も花巻名物だ」と書かれるほどであったという。

◆賢治と玄侑宗久

それほどまでに賢治を熱狂させた日蓮の教えとはどのようなものか？　同じく東北福島在住の僧侶で芥川賞作家の玄侑はこう語る。「浄土真宗のような他力本願、つまりひたすら菩薩の請願を信じるだけでなく、自ら菩薩になることを目指す（自力本願）が法華経の要諦である」と。「賢治は明らかに日蓮宗の捨身菩薩にこだわっている。またそれは賢治の後半生の大きなテーマでさえあっただろう」「しかしあらゆる衆生を救う、あるいは世界全体が幸せにならないうちは個人の幸せはあり得ないなどというのは菩薩の請願だから成り立つのであって、人間個人が持つには厄介極まりない」「自己犠牲とは決して目指してはいけないことなのである」あれれ、賢治を全面否定ですかいな？　ちなみに玄侑は禅宗だそうな。

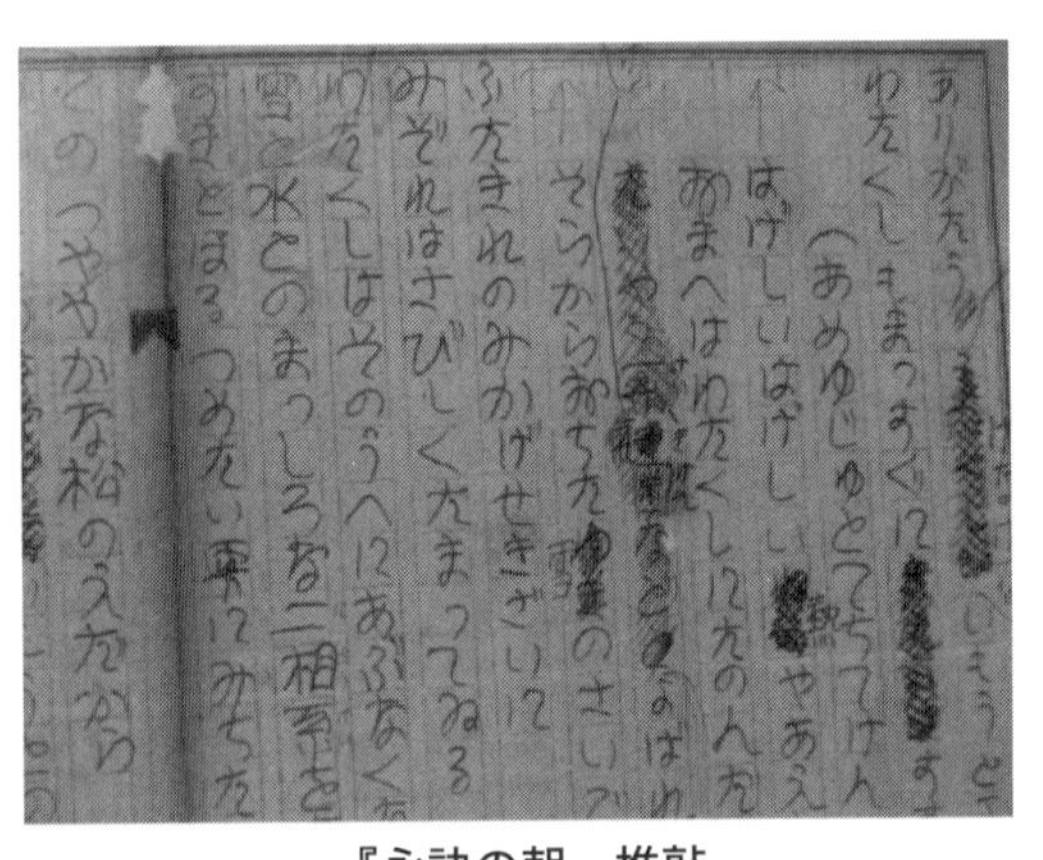
ありがたう
わたくしもまっすぐに
（あめゆじゅとてちてけんじゃ）
はげしいはげしい熱やあえ
おまへはわたくしにたのんだ
そらからおちた雪のさいごの
ふたきれのみかげせきざいに
みぞれはさびしくたまってゐる
わたくしはそのうへにあぶなくた
雪と水とのまっしろな二相系をた
すきとほるつめたい雫にみちた
このつややかな松のえだから

『永訣の朝』推敲

◆ヒドリとヒデリ

玄侑から重要な指摘がもう一つあった。雨ニモマケズの詩の中の「ヒドリノトキハナミダヲナガシ」の「ヒドリ」について、「ヒデリ」の間違いではないか、という説があるが、それは「大間違いである」と玄侑は喝破する。本が出せずに自作の添削人生を送る賢治がそんな間違いをするはずがない。「ヒドリ」とは「日取り」つまり人が亡くなった時、山伏が当家とお寺を往復して葬儀の日程を決める行為に由来する。つまり人が死ぬから悲しくて涙を流すのだ。

宮沢賢治。その生前は誰にも顧みられず、狂人に近い変わり者としてその短い人生を終えた。ただトランクいっぱいの原稿を弟が大事に保管していたおかげでその作品は戦後も生き延び、徐々に、そして何度も再発見され、今何度目かのブームの真っただ中にある。その熱狂的なリスペクトを賢治本人だけが知らないのが私には不憫に思える。最後に賢治に手向けよう。２０１３年９月、野間文芸翻訳賞を受賞したロジャー・パルバースのこの英訳詩を。

Strong in the rain
Strong in the wind

何の詩の冒頭かは言うまでもない。賢治よ、君は負けてはいない。

◆参考文献

『銀河鉄道の夜』宮沢賢治　角川文庫
『宮澤賢治に聞く』井上ひさし　こまつ座　文春文庫　２００２
『慈悲をめぐる心象スケッチ』玄侑宗久　講談社文庫　２０１１

司馬遼太郎論

歴史に名を残している人物というのは、歴史上の有名人であありスターであるわけだが、生きているときから今日までずっとスターであり続けたわけではない。死後、誰かが書き留めて小説や芝居や映画の主人公になり、それがヒットして初めてスターとなる。ヒットした作品はファンを増やし、さらに再映画化や、アニメ化やあれやこれやでスターとして定着してゆく。例えて言えば宮本武蔵。江戸初期の1645年『五輪書』の完成直後、62歳で亡くなっているが、その後、江戸時代〜明治時代にかけて全く忘れ去られていた。ようやく明治39年、熊本県の名士が集まり、県ゆかりの宮本武蔵顕彰会を立ち上げた。日露戦争に勝った直後の戦意高揚期であり、大和魂や武士道の先達として武蔵を見直し再発見し武蔵研究本を作った。時は流れて昭和初期。すでに国民的作家であった吉川英治は求道の剣の達人の小説を構想し、モデルを探す中でこの武蔵顕彰会本と出会う。そして大喜びで昭和10〜

14年、朝日新聞に「宮本武蔵」を連載し、戦時下の国民に熱狂的支持を得て、戦後続々と映画化され、さらには平成の時代になっても吉川英治原作本のマンガ化『バガボンド』が大ブームを巻き起こしたのは記憶に新しいところだ。つまり、今日我々がイメージする宮本武蔵とは、吉川英治が発見し、創作した「宮本武蔵」に他ならない。実物の武蔵など一次資料が少なすぎて誰も知らない。武蔵の虚像だけが独り歩きし歴史の大スターになり今も大スターであり続けているのだ。

「そう、私も肖像画さえ残っていないのにいつまでたっても有名人で困っちゃう」おっと、そのお声は世界の三大美女〈武蔵野の楊貴妃〉と呼ばれるヘンシューチョーではあーりませんか。「有名人であり続ける秘訣ってなんだかわかる?」「はてさて」「それはね、まず物語の主人公として取り上げられる事」「最初は何でしたっけ?」「白居易の長恨歌」「ふ〜ん大昔ですね」「一発屋で終わる人も多いけれど私はホラ、何度も何度も舞台化映画化されてさらにスターの寿命が延びる、とこういうわけよ」「確かに。戦国時代の信長・秀吉・家康も毎年のようにドラマ化されてますからね」「じゃあここで問題！　幕末最大のスターは一体だ〜れだ?」「るろうに剣心！　それとも西郷隆盛？」「ブブー、答えは坂本竜馬」「そうだ、福山雅治の龍馬伝」「でもね。実は彼はちっとも有名じゃなかった。明治・大正と忘れ去られ昭和37年になるまで誰も知らなかった」「じゃ昭和37年に発見したのは？」「司馬遼太郎」「えっ？　あの司馬遼太郎がまさかの第一発見者？」「そう無名の竜馬を発見し、キャラクター造形し、ここまでの大スターに育て上げた」「実物とは関係なく？」「疑うのなら行ってらっしゃい、横浜そごう百貨店、じゃなかった美術館の司馬遼太郎展」

という事でやって来ました「没後20年　司馬遼太郎展〈21世紀〝未来の街角〟で〉」2017年6月2日―7月9日、横浜そごう美

そごう美術館

術館。主催：そごう美術館・産経新聞社・公益財団法人司馬遼太郎記念財団　入館料￥１０００。

会場に入るといきなり産経新聞夕刊「坂本竜馬」連載の実物大コピーが壁一面に何百枚も貼りだされていて圧倒される。その後は小説タイトルごとにコーナーを設け、自筆生原稿、発行された単行本、それにちなんだ資料エピソードなどが展示されている。全体構成の最後には、こども向けに書いた最晩年の『21世紀に生きる君たちへ』を配して、司馬遼太郎が伝えたかった「この国の（あるべき）かたち」を提示している。そう彼は小説家であると同時に「司馬史観」と呼ばれる歴史観を持って多くの日本人に影響を与えた歴史家でもあった。産経新聞の記者でもあった司馬が、１９６０年（37歳）『梟の城』で直木賞を受賞、翌年会社を辞めて小説家として専念するにあたって一番書きたかった事、それは日本という国のかたちだった。

◆この国のかたち

翻って１９４４年、21歳で満州の陸軍戦車学校に学び、戦車第一連隊第５中隊の少尉として栃木で敗戦を迎えた司馬は、日本陸軍を激しく憎んでいたという。最新式ソ連の戦車に比べて、日本は日露戦争からちっとも進歩しないポンコツで次々にソ連戦車の砲火を浴びて炎上し「走る棺桶」と呼ばれていた。それなのに陸軍は精神主義一辺倒でこれを改善する気配もなく敗戦まで突き進んだ。こうした陸軍の組織というものは一体どうして生まれたのか？　一億総玉砕を叫んだ日本人の精神のありようは一体どこから生まれたのか？　その原因を歴史の中に探ろうとしたのが司馬文学の始まりであり司馬史観の原点だという。悪しき昭和の原点に明治近代国家がある。その明治初期に日本陸軍が誕生し、それを作ったのは大村益次郎だ。だから司馬は大村を主人公に『花神』を書いた。いや軍隊だけではない、明治という新時代を作ったのは江戸時代末から活躍した志士たちであった。その志士たちの中で妙に気になる人物がいた。有名ではないけれど、どの資料にもちょこっと登場する脇役で、勝海舟をして「明治維新なんてものは他の誰でもない、あいつひとりが成し遂げた事だ」とまで言わしめたその人物こそ坂本竜馬であった。だから『竜馬がゆく』を書いた。更に翻ってその江戸時代は、戦国時代の戦いを経て徳川家康が作った。では日本という国の原点は家康か？　それとも秀吉か、あるいはその先駆けの信長か？　司馬は信長に影響を与えた濃尾平野の戦国人、斎藤道三にこそ「日本という国の原点」を見る。そして書いたのが『国盗り物語』であった。

◆〈鬼胎〉とは何か

その生涯における夥しい作品の中で、では司馬は当初の目的、つまり「なぜ日本は間違えたのか？」と言う疑問に対する答えを見つけたのだろうか？　否。ついぞ司馬は昭和を舞台にした小説を書かなかった。何故？　それは不明である。書けなかったのか？　それも不明である。しかも司馬本人は「昭和前期の20年は〈鬼胎〉である」と言っている。斎藤道三から連綿と続いてきた日本国家が、一旦断絶し、連続性を持たない異胎で明治と昭和は切断されているとまで言うのだ。馬鹿馬鹿しい。歴史が繋がってないわけがない。それを承知であえて言うのは自ら司馬史観の破綻を表明しているようなものだと、私は思う。

◆人間好きの落とし穴

司馬の小説を読めばわかるが、それは小説というよりもさながら歴史資料を読み込んだ報告書（レポート）のように思える。いわばトリビア（蘊蓄）なのだ。そして時々登場人物に関する断定、つまり人物評論が小気味よく入る。「信長はすべてが独創的だった」「秀吉は人の心を読むのに長けている。名人と言ってよい」「家康は物の上手であっても独創家ではなかった」そしてこれら三英傑は別にして、司馬は好んで脇役を描いた。どうやらさまざまな資料を読むうちに、その人物が形を得て、書斎の机の周りを動き出すようなのだ。そして彼らと会話しながら物語を書き進めてゆく。つまり登場人物は顔見知りであり友人であり愛すべき人物になってしまうのだ。その小説作法で竜馬を描くのは気持ちのいい事だったろう。しかしこのやり方で東條英機が描けるだろうか？　と私は思う。描けはしまい。つまるところ司馬には悪人が描けないのである。人間の悪、国家の悪を描くのは不得意なのだ。何故って、これまでの日本の歴史を全肯定するのが司馬史観の本質であり、歴史を彩る人物たちを脇役に至るまで愛情をこめて描き上げるのが司馬文学の真骨頂なのだから。

◆仕事量の凄まじさ

それにしても司馬遼太郎展で一番驚いたこと。それは年譜に描かれた司馬の仕事量。新聞と雑誌の連載の仕事量が桁違いなのだ。1962年（39歳）満を持して『竜馬がゆく』の連載を産経新聞夕刊で始めたのだが、4年後の1966年に完結するまでの間、『燃えよ剣』（土方歳三）を週刊文春に、『功名が辻』（山之内一豊）を各地方紙に、『国盗り物語』（斎藤道三）をサンデー毎日に連載している。新聞連載なんて毎日だよ。それ1本だけで大変だろうに、他に新聞1紙週刊誌2誌に連載って一体どうなってるの？　しかも同時進行で他の単行本も出してんだよ。アンビリーバボーとはこの事だ。これはどう考えても人間の仕事量とは思えない。しかし司馬にゴーストライターがいたという話はついぞ聞かないから、コツコツと自分一人で書いたのだろう。

◆司馬の書いた「武蔵」

　これは余談だが、年譜を見ての驚きはもう一つある。何と司馬遼太郎が『宮本武蔵』を書いているのだ。知らなかったもう。読んでみて驚いた。そこには吉川英治のこけおどしドラマチックとは無縁の、リアルな武蔵の姿があった。それが本当のリアルなのか、リアルに見えるだけなのか読んでいて判断がつかない。藩の剣術指南なら三百石が相場で引く手あまたなのに、軍を動かす参謀として家老級の名誉と金（高額年棒三千石）を求めて仕官運動をするプライド高過ぎて困っちゃう武蔵像をヒタヒタと描いてゆく。中でも面白かったのが佐々木小次郎の描写。富山の中条流から話を始めるんだよ。宮中の兵法として小太刀使いの名門の家に養子となり、その天才を認められ、剣術の型で打太刀を任されるようになる。そして小太刀相手の長い刀の扱いに習熟するようになる。しかもどう考えても短い刀よりは長い刀の方が有利なのは明らかだと、中条流を馬鹿にして出奔し武者修行の旅に出て、「巌流」燕返しの技を会得する。ね、面白いでしょ？

とは言うものの、司馬遼太郎原作の『宮本武蔵』は多分ドラマ化されないだろう。が、逆に「坂本竜馬」は司馬遼太郎原作以外にありえない。きっとこれから先ずっと永遠に何度も何度もドラマ化されるんだろうな。だってNHK大河ドラマだけで司馬原作物は7本だよ。凄くねえ？　じゃあ映画は？　あれ？　意外にも1999年『御法度』以来映画化が途絶えている。これは大変だ！　遼太郎危うし！　と思っていたら、えっ、なんだって？　8月26日公開『関ヶ原』が待ってるって？何と岡田准一主演（石田三成）、役所広司（家康）、有村架純（忍者）だって。これは行かずばなるまい。楽しみ楽しみ、遼ちゃんありがとう！

◆参考文献

『「司馬遼太郎」で学ぶ日本史』磯田道史　NHK出版新書　2017
『幕末維新のこと』司馬遼太郎／関川夏央編　ちくま文庫　2015
『真説宮本武蔵』司馬遼太郎　講談社文庫　2006
『宮本武蔵』司馬遼太郎　朝日文庫　1999
『宮本武蔵　謎多き生涯を解く』渡邊大門　平凡社新書　2015

谷川俊太郎論

〈死んだ男の残したものは　ひとりの妻とひとりの子ども　他には何も残さなかった　墓石ひとつ残さなかった〉って確か谷川俊太郎だったよね。物哀しい曲が付いている。後で知ったけど作曲は武満徹。詩の続きはこうだ。〈死んだ女の残したものは　しおれた花とひとりの子ども　他には何も残さなかった　着もの一枚残さなかった〉その子どもは何を残したのか？〈死んだ子どもの残したものは　ねじれた脚と乾いた涙　他には何も残さなかった　思い出ひとつ残さなかった〉なんだ、みんな死んじゃったのね。それで終わりかと思ったら……。〈死んだ兵士の残したものは　こわれた銃とゆがんだ地球　他には何も残せなかった　平和ひとつ残せなかった〉反戦歌だったんだ！　これ聞いたのいつだろう？　１９６８年の詩集『祈らなくていいのか』所収だからベトナム反戦運動の時代に作られた詩だろうか？

「俊太郎は、筋金入りなのよ」おっとそのお声は武蔵野詩人の誉れ高いヘンシューチョーではあーりませんか。「20代で大江健三郎、寺山修司ら若手文化人と反戦グループを結成し、60年安保に反対した」「ちょっと待ってください、俊太郎は何年生まれ？」「1931年」「って事は14歳で終戦。詩人デビューは？」「21歳。詩集『二十億光年の孤独』で鮮烈デビュー！」「大げさなタイトルですね」「それから65年間、詩だけでなく作詞や童話や詩のボクシングなど、日本で一番有名な詩人じゃないかしら」「文化勲章なんか貰っちゃったりして？」「それが大した賞は取ってない」「有名だけれど詩の実力は大した事無いのでは？」「バカ者！　1982年芸術選奨文部科学大臣賞に選ばれたけれど辞退して曰く〈国家からの褒章は受けない〉」「意味わかんないんですけど」「だから言ったでしょ、反権力は筋金入りだって」「権力は嫌いだけれど女好き？」「奥さんが3人いた」「同時に?!」「バカモノ！　23歳で詩人の岸田衿子と結婚し1年で離婚、26歳で自作の舞台の主演女優大久保知子と結婚し、これは32年持った。3人目が童話作家、私の大好きな〈100万回生きたねこ〉の佐野洋子さんで6年」「あの佐野洋子?!」「そう、だから私にとって俊太郎は佐野洋子の元旦那さん」「やっぱ離婚するんだ」「それでも結婚生活は59歳から65

歳にかけてだからエネルギッシュよねえ」「でももう86歳、流石に枯れたでしょう？」「さあ、どうかしら？　今も現役バリバリで、編集者や学芸員にモテモテで個展や新作を次々発表してるらしいわよ」「じゃあ、4度目の結婚も近いですね」「ウソだと思ったら行ってらっしゃい、新宿初台のアートギャラリー」

　という事でやって来ました「谷川俊太郎展 TANIKAWA Shuntaro」東京オペラシティ　アートギャラリー、２０１８年1月13日～3月25日￥１２００、主催：公益財団法人東京オペラシティ文化財団、朝日新聞社／会場構成五十嵐瑠衣。

　ところで「詩人の個展」って何やるの？　谷

展示「自己紹介」

川自身も言っているが、パソコン打ちなので自筆原稿があるわけじゃない、そもそも展示する物が無いのだ。ところが。俊太郎を愛する学芸員は必死に考えたのだろうね。俊太郎の自己紹介文ならぬ自己紹介詩を柱にした。柱とは例えではない。本物の柱に20行の詩の1行分の文字を書き付け、それらが合計20本。会場に建てて、柱1本が1コーナー。詩に因んだ谷川ワールドを作り上げていったのだ。

◆自己紹介詩と展示物

〈私は背の低い禿頭の老人です〉〈もう半世紀以上のあいだ〉〈名詞や動詞や助詞や形容詞や疑問符など〉〈言葉どもに揉まれながら暮らしてきましたから〉〈どちらかというと無言を好みます〉〈室内に直結の巨大な郵便受けがあります〉〈夏はほとんどTシャツで過ごします〉〈私の書く言葉には値段がつくことがあります〉

すると郵便受けのコーナーには、幾多の著名人から送られた葉書が展示され、谷川の愛用するTシャツが無造作に何枚も並べられ、大判の詩集が開かれてその詩を読むことができる。谷川の現在の生活と暮らしぶりを彩る日常品が多数展示されているので詩人の私生活を覗き見るような趣もある。自宅の愛蔵品を出品するだけで展覧会が成立するのだから、これも谷川ならではの芸と言うべきか。そして思う。谷川って日本一幸せな老人なのではあるまいか？

◆谷川俊太郎の詩

ギャラリー付属の書籍コーナーには夥しい数の俊太郎が出した本、本、本。迷ったが『谷川俊太郎詩選集』をひもとく。デビュー作「二十億光年の孤独」それはこんな詩だ。〈人類は小さな球の上で眠り起きそして働きときどき火星に仲間を欲しがったりする〉〈火星人は小さな球の上で何をしているか僕は知らない（或いはネリリしキルルしハララしているか）しかしときどき地球に仲間を欲しがったりするそれはまったくたしかなことだ〉〈万有引力とはひき合う孤独の力である〉〈宇宙はひずんでいるそれ故みんなはもとめ合う〉〈宇宙はどんどん膨らんでゆくそれ故みんなは不安である〉〈二十億光年の孤独に僕は思わずくしゃみをした〉

◆お坊ちゃま

21歳の青年のこの詩はどうやって発表されたのか？　別コーナーの膨大な年譜を見て驚いた。俊太郎の父は哲学者の谷川徹三。法政大学の総長になったほどの有名文化人だが、息子のデビューに一枚噛んでいた。俊太郎19歳が不登校となり自宅で鬱々と書いていた詩を、父徹三が勝手に友人の詩人三好達治に見せたところ瓢箪から駒、三好の推薦で雑誌『文学界』に「ネロ」他5篇が掲載されてしまった。それが機縁となり2年後処女作出版の運びとなる。つまりは親の七光り。ラッキーを絵にかいたようなデビューなのだ。その後も、寺山修司をはじめ同世代の若手文化人と親交を深めつつ、ラジオドラマや劇作、絵本、作詞などに手を拡げ、31歳「月火水木金土日のうた」でレコード大賞作詞賞を受賞する。まさに順風満帆「陽のあたる坂道」な人生を絵に描いたよう。きっと人懐っこくて誰からも愛されるお坊ちゃまキャラなんだろうね。

◆最果タヒの詩

同じく書籍コーナーに今話題の最果タヒ（32歳）のカラフルな詩集が積んである。谷川俊太郎との関係は不明だが、少しは影響を受けているのか？　別に谷川や最果に限らない。「宇宙」や「愛」や「孤独」や「死」は詩や歌詞の常套句みたいなものだろう。〈都会を好きになった瞬間、自殺したようなものだよ。塗った爪の色を、きみの体の内側に探したってみつかりやしない。夜空はいつでも最高密度の青色だ〉〈きみが、あの子をかわいいと言う根拠が、ただの劣等感であればいいのに〉〈世界にとっていちばんきれいな女の子が1年周期で変わっていくあいだ、私が、ここで生き続けることは下品なのかもしれなかった〉〈ぼくに生きてほしいと思ってくれるひとがいなくなった夜に台所で冷蔵庫を開けて牛乳をありったけ飲んだ〉〈美しい人がいると、ぼくが汚く見えるから、きみにも汚れてほしいと思う感情が、恋だとききました〉そして思う。詩を読むという行為は本来、詩の言葉の世界にゆったり浸るものであったはずなのに、あろう事か私は本の活字の中から気に入ったフレーズをせわしなくピックアップして、ただ単に「イケテル言葉情報」として「取捨選択」しているのだけではないのか？　そんな自分にハタと気づき狼狽えてしまう。我ながらその精神がさもしい、卑しいと思わずにはいられない。

◆DVD『詩人谷川俊太郎』

２０１２年に発売された59分のＤＶＤには谷川の仕事の軌跡と世界観がよく表されている。そしてラスト、80歳の谷川が自ら作詞した鉄腕アトムの歌を歌う。照れながら、まるでシャンソンのようにアトムを謳い上げる谷川の笑顔がとてもチャーミング。反対に処女詩集を出した頃の若き谷川の写真は衝撃的。谷川にもこんな時代があったのだ！　そう言えば、と私は今更

愛用の品々

のように気づくのだ。谷川だけではない、あなたにも私にも青春はあった。確か、あったような気がする。谷川のような詩人ではなかったが誰だって若い頃、詩の一つや二つは書いたものさ。どんな詩だって？　忘れた。そんなものはとうの昔に捨てた。友人たちと確か500円を出し合って自費出版したあの頃、あの詩集。どこにあるだろう？　いやまさかもしかして。押入れのどこかにあるのかも？　探した。あった。だからって？　まさかオマエ？　谷川や最果の後で自作の詩を披露する気じゃあるまいな?!

◆カーキーの詩

〈愛あまりにいかがわしく愛(あい)あまりに遠い二

有名人からの葉書

文字〉〈少年は少女に打ち明けるボクは愛を信じない愛という言葉も愛という言葉を口にする人達も大嫌いだと〉〈少女は窓外の風に目をやりながら低く呟くそれでも愛が欲しいと〉〈やがてスイガンモーローの少女がニコリと訊くわたしのこと好き？　ね、どこが好き？　どうして好き？〉〈咄嗟に少年の口をついて出て来た言葉ボクと同じ孤独を持っているから〉〈ギョッ？　記憶の回路が火照る程の沈黙と共に男は思い出をそっとなぞってみるボクと同じ孤独〉〈あの時あんなにも片意地だったあの頃キミへの想いを伝える言葉を見つけ出せずにいたあの焦燥の日々〉〈たった一言愛しているとあっさり言えたなら二人はどんなにか幸せだったろう言葉が感情に孤独が愛にそして二人は本当に愛し合えたかもしれないのに〉〈十年は男と女の歳月として長いのか短いのかきっかりひと昔分だけの昼と夜と日々と暮らしと生活と生活と生活があった〉〈少年は愛を見つけ出せないまま少女は愛を見失ってしまった〉〈今日は二人でハンコを押したみけんにシワをよせたまま眠るキミの顔にボクはこっそり昔の面影を探してみるけれどもキミはあの日の少女ではなくボクはあの日の少年じゃない〉〈愛（あい）そのあまりに確かな二文字をボクは今日始めて口にしたキミをもう愛してはいないと〉〈ああ、別れるという今になって〉

◆参考文献

『谷川俊太郎詩選集1』集英社文庫　２００５
ＤＶＤ『詩人谷川俊太郎』kinokuniya company　２０１２
『死んでしまう系のぼくらに』最果タヒ　リトルモア　２０１４
『夜空はいつでも最高密度の青色だ』最果タヒ　リトルモア　２０１６
『からすのたまご』自主出版　１９８２

ＬＧＢＴを巡って

「ＬＧＢＴには生産性がない」と２０１８年７月、物議をかもしたのが杉田水脈国会議員。えっ？　ＬＧＢＴって何の事？　と驚く人の為に解説するとＬはレズビアン（女性の同性愛）、Ｇはゲイ（男性の同性愛。ホモもオカマもオネエもニューハーフも今は全てこう呼ばれる）、Ｂはバイセクシャル（男も女もＯＫ）、Ｔはトランスジェンダー。ジェンダーは社会的性差（男らしさ、女らしさ）を意味するが、トランスが付いて「生まれた時の性別と自分が認識している性別が異なる人の事」とこういう事らしい。「ＬＧＢＴの人たちは子供を作らないのだから彼らが利益になるような条例を作ったり税金を投入する必要はない」というのが雑誌『新潮45』に掲載された杉田論の骨子。これに噛みついたのがＬレズビアンの尾辻かな子衆議院議員。雑誌発売直後ツイッターに「ＬＧＢＴも納税者である。全ての人は生きている、その事自体に価値がある」と書き込み、これが火付け役となってマスコミあげての大騒動となった。えっ？　杉田も衆議院議員でしょ？　もしかして杉田はゲイ？

「バカおっしゃい、杉田は女性よ。水脈はみおと読む」おっとそのお声は柔整界のトランス・ミッションと呼ばれるヘンシューチョーではあーりませんか。「夫も子どももいるから生産性は証明済み」「いつから国会議員？」「西宮市役所勤務を経て、２０１２年日本維新の会で当選、２０１４年落選、２０１７年自民党から比例当選」「戦闘右翼ですか？」「新しい歴史教科書を作る会の理事だし、勿論日本会議もね」「ヘンシューチョーとは水と油ですか？」「でも落選中に単身国連に乗り込んで慰安婦問題に斬り込んだらしい」「その結果は？」「最初は国連

「LGBT」支援の度が過ぎる
杉田水脈

『新潮45』

の部会に入場さえさせてもらえなかった」「えっ？　それはどういう事？」「国連には人権委員会などたくさん部会があるけれど、そこは伝統的に日本の旧左翼が実権を握っていて韓国委員とつるんで〈慰安婦問題けしからん！〉と世界に発信している」「えっ、国連決議っていうからもっと大きな本会議かと思ってた！」「10人程度の小委員会で新参右翼の杉田が何を言っても相手にしてもらえない」「日本国内と雰囲気がまるで逆ですね」「てな国連突撃リポートを本にしていて、これはこれで面白い」「敵ながらアッパレってところですかね」「でもそれと今回の生産性は話が別。私は断固許しません！」「それは何故？」「相模原の事件じゃないけど人間が人間を差別し、偏見を持つことが物凄く嫌い」「そう言えばLGBTの陰に隠れて最近フェミニズム（女性主義）って言葉、聞きませんね」「あら、そんな事はないわよ。ウソだと思ったら行ってらっ

東京都写真美術館

しゃい、恵比寿の東京都写真美術館」

という事でやって来ました「愛について　アジアン・コンテンポラリー」東京都写真美術館、２０１８年10月2日〜11月25日、¥８００。

出品作家は、中国、シンガポール、台湾、韓国、在日コリアン、そして日本の女性写真家６人。

①金仁淑（キム・インスク）

１９７８年、大阪生まれの在日コリアン３世。親の方針で朝鮮学校に学び、朝鮮語、日本語、そして英語を操るが、韓国に留学するも「在日」と蔑まれそのアイデンティティに悩む。会場で流される10分ほどのビデオ作品は、彼女自身の結婚式。古式な民族衣装に身を包み友人たちに山車で運ばれて新郎新婦が対面を果たすなど、その伝統的な結婚儀式に感動していると、実はウソ。儀式を適当にでっち上げたらしい。つまり50人の参列者ともども俳優として演じた壮大なフィクションなのだ。けれどもこのビデオを見た観客の韓国人は、「これが伝統の結婚式なんだよ」

と子どもに説明していたりする。じゃあ、彼女を今まで縛ってきた国籍やら伝統やらは一体何だったのか？　それ自体が実は虚構だったのではないか？　韓国人でも日本人でも在日でもなく、生まれてきた子どもにはアメリカ国籍を取らせたいと思う。

②キム・オクソン（金玉善）

　１９６７年ソウル生まれ。外国人受け入れ居留区の済州島にドイツ人の夫と共に住み作品を発表。それは何組かのカップル写真。中には作者自身もいて、彼女はカメラ目線だが夫はあらぬ方向に視線を泳がしていて、一瞬仲が悪いのか？　日常生活のスナップのはずなのに、異様で無機質な空間が広がる。実は韓国で女性が外国人と結婚する事はいまだにタブー。女性も生まれてくる子供も戸籍がなくなるのだという（韓国人男性が外国人女性と結婚した場合は無問題）。そうした居心地の悪さをこれらの写真は表現しているのかもしれない。

③チェン・ズ（陳哲）

１９８９年中国北京生まれ。アメリカの写真学校に留学中、課題提出が間に合わず発表するつもりもなく撮り溜めておいた、むしり取られ抜かれた髪の毛や腕一面何十本ものリストカット直後血粒粒状態写真などの「自傷写真」を提出。先生から「何故?!」と叱責される事無く逆に「Are you ok大丈夫？」と心配された事で心の平穏を回復。写真家への道を進むことになる。

④ホウ・ルル・シュウズ（侯淑姿）

１９６２年台湾生まれ。その昔毛沢東との内戦に敗れ、台湾に渡った国民政府とその軍人家族60万人のために国家が用意した落人部落７００カ所とその家屋が２０００年、取り壊されることになった。ホウは彼らお爺ちゃんお婆ちゃんを訪ねて思い出話を聞き取りつつ人物と建物と村の写真を撮り、歴史を「記録」したのだった。

⑤ジェラルディン・カン

1988年シンガポール生まれ。家族写真の連作だが、全員セミヌードだったり、あからさまな演出を施していて、ユーモラスでもある。なかでも白いデカパンをはいた祖母の後ろ姿は印象強烈。よく家族が協力してくれたものだと思うが、教育熱心な父母に「学校の課題だから」と言ったら率先して脱いでくれたのだとか。

⑥須藤絢乃

1986年大阪生まれ。駅に貼られた行方不明の少女写真にヒントを得て、その子たちを調査し、その子の服装に似たものを古着屋で探し、その服を着た須藤自身をセルフポートレートした。行方不明少女を写真で蘇らせたのだ。その数16人。凄いインパクトだよ。

本展を企画したキュレーターの笠原美智子は言う。「フェミニズムもジェンダーも男と女の対立概念ではない。それは共生の思想であり、お互いがお互いをより愛するための、たゆまぬプロセス上にある行為なのではないかと思う」

◆映画『いろとりどりの親子』

２０１８年秋公開されたこの映画には６組のマイノリティー親子が登場する。原作者でもあるゲイのアンドリュー・ソロモンを始め、ダウン症・自閉症・低身長症・幼児殺人鬼など実在の親子が登場する。子ども時代は家庭ビデオの記録映像などを使い、現在は大人に成長した障害者たちのドキュメンタリーとして展開する。ソロモンは自身のゲイを両親に告白するかどうか悩み、他の家族はどうしているのだろうと10年がかりでマイノリティー３００組の家族を取材、本にまとめたのが*Far From The Tree*。リンゴは木からそう遠く離れては落ちない、という「蛙の子は蛙」みたいな諺らしい。この本は世界24カ国に翻訳された大ベストセラーだが日本語訳はナシ。そしてこの映画は私の偏見を次々と覆してくれる。ダウン症の40歳は今

映画ポスター

も、ディズニーのアナ雪に恋して母親を心配させるが、仕事もしながら自立して仲間3人と共同生活を送っている。低身長症は全国集会で100人くらいが集まり、ファッションショーなど繰り広げて壮観！　カルチャーショックだよ。とそのなかの一人の女性が乙武氏みたいな車椅子男性と恋に落ちる。この男がまた相当なインテリで仕事も有能らしくよくしゃべる。人は私のことを不幸だと思うかもしれないが自分は幸せだと。そして言葉通り、小人症同士結婚して子供を作ったりする。自閉症で全くしゃべれず、いつも癇癪を起こしてばかりの少年も（彼が唯一子どもかなあ）遂に巡り合った地味な医者のタイピング学習で文字表現を学び、意気込んで両親に初めて発した言葉は「I feel like a tiger in a cage!」めっちゃ頭のいい子だったんだ！　この時の両親の驚くこと驚く事！　そして映画の6組の親たちは障害児に赤ん坊のころから寄り添い、時に絶望し、しかし気を取り直し、その財力で育てあげ、老齢になった今も見守り続けている。それはこの世に実現した美しい奇跡の物語ではあるけれど私はそこに感動はしない。やっぱり親子だね、という結論にも賛同しない。だって子どもが憎くて虐待する親は日本中、世界中にいくらでもいることを我々は知っているのだから。

◆知能と知性

私はこの映画を見ながら実は別の事を考えていた。それは知能と知性について。知能に劣ると思われているダウン症男性は意外と知能に優れている。自閉症少年も実はクレバーであった。知的障害では無い低身長症は、溢れんばかりの知能と知性を兼ね備えていた。一方人工知能（ＡＩ）の世界はどうなっているだろう？　機械学習を進化させたディープラーニング（深層学習）の発達でこの10年ＡＩは飛躍的に成長した。自動運転や自動翻訳機の実用化が話題となり。あるいは２０１６年囲碁欧州チャンピオンを負かした「アルファ碁」、２０１７年将棋名人に勝利した「ボナンザ」などの活躍は、ＡＩの知能が明らかに人間を凌ぐことを証明した。「知能」の次は「知性」だ。知性となると、これはもう人間世界の領域にＡＩが参入する事を意味している。それはどのようにして？　もしかしてこの映画に登場する障害者たちは実はＡＩ（人工知能）が人間の姿を纏ってこの世に出現した仮の姿なのではあるまいか？

◆ＡＩと人類の未来

一旦知性を獲得したＡＩの進化は爆発的なものであるだろう。その時ＡＩは単なる知能機械＝マイノリティーの仮面を脱ぎ捨て一気に知能と知性を兼ね備えた超人類、マジョリティーにその立ち位置を変えるかもしれない。いえいえそうなる前に人類と大戦争。しかし人類は今やパソコンなしでは仕事どころか日常生活もままならない。だとしたら生まれも育ちもコンピューターのＡＩ連合に勝てるわけがない。だとしたら、共存どころではない。知能と知性を手にした万能ＡＩこそが健常者として地球に君臨し、人類はそれに劣った欠陥者、障害者、マイノリティーとして、生きざるを得ないだろう。

学芸員解説

そうした近未来を本能的に予感するからこそ、私たちは現在のマイノリティー、障害者、ＬＧＢＴの存在を見直し、その価値観、生き方に注目し、学び、予習しようとしているのかもしれない。

◆参考文献

〈愛について〉公式ガイドブック　２０１８
『新潮45』２０１８年8月号／10月号　新潮社
『慰安婦像を世界中に建てる日本人たち』杉田水脈　産経新聞出版　２０１７
『人工知能はどのようにして「名人」を超えたのか？』山本一成　ダイヤモンド社　２０１７
映画『いろとりどりの親子』監督レイチェル・ドレッツィン　２０１８　アメリカ

第三試合

悪人たちの宴

世界の悪党たち

２０１８年の７月は暑かった。西日本では記録的豪雨被害で１２０人を超す死者が出た一方、相模原の知的障害者施設「津久井やまゆり園」事件の２周年が大きく報じられた。植松聖被告（26）は深夜２時前後、就寝中の障害者たちを矢継ぎ早に襲い、ナイフで切り付け、わずか50分で45人を殺傷（うち19人が死亡）したという。まるでゴルゴ13のような早業に日本中が震撼した。この事件はまだ裁判さえ開かれていないが、死刑判決は間違いのないところだろう。そして新聞１面で最も大きく扱われたのは「オウム死刑囚13人の全員処刑」。麻原彰晃率いるオウム真理教は１９８９～１９９５年にかけて坂本弁護士一家殺人事件、松本サリン事件、霞ヶ関駅地下鉄サリン事件などで６０００人を殺傷（うち29人が死亡）した。この13人の死刑執行は当然と思われ国内に特に異論はない。そのきっかけは１９９９年の山口県光市母子殺害事件。当時18歳の犯人のあまりの鬼畜ぶりと、それを決して許さない被害者夫の毅然とした態度に、これまで死刑反対であった世論は大きく動いた。死刑やむなし。これまで無視されてきた犯罪被害者家族の声が大きく取り上げられるようになったのも、この事件がきっかけであった。被害者と加害者。善と悪。そして悪を懲らしめる正義。犯罪に関しては日本人は正邪の価値基準を共有しているのではあるまいか？　ついでに言えば日本の死刑囚の数は１００～１３０人の間を推移している。この数は多いのか少ないのか？　奇しくも人間国宝の数も同じくらいだという。つまり死刑囚は「犯罪の人間国宝」と言えばジョークが過ぎるだろうか？　そして思う。これらスペシャルな犯罪者たちは、生まれついての悪なのか？それともいつ、どこで、自分の悪を育てたのか？

「悪人にもうんと心がキレイな人もいるのかなあ？」おっとそのお声は「平成の八百屋お七」と呼ばれるヘンシューチョーじゃあーりませんか。「オウム事件だって、麻原教祖以外は死刑になった人もやはり純粋なところがあったんじゃないかしら？」「根っからの悪人ではないと？」「世の中を変えたいという存在の証明を求めていたのかも？」「ずいぶん肩を持ちますね」「っていうか、12人それぞれの贖罪、反省の弁が報道されていて、それを読むとつい……ね」「悪いのは麻原一人だとでも？」「だって麻原＆オウム真理教に入る前から悪人だった人なんて一人もいないでしょ？」「善人なおもって往生す」「いえいえ、それは親鸞。オウムは浄土真宗ではありません」「ポアする（殺す）ことがその人にとって極楽浄土に行くことになると信じてたんでしょ？」「多分その頃は。無菌培養が麻原ウィルスに一気にやられちゃったのね」「感染症ですか？」「悪にはそれだけ人を惹きつける力があるのよ」「善人の私にはわかりませ～ん」「じゃあ、偽善者に聞くけど、何故今の東京で、悪をテーマにした展覧会が四つも五つも同時開催されてるか知ってる？」「夏だから？」「例えば東洋文庫ミュージ

太田記念美術館表

アムの〈悪人か、ヒーローか〉展。これはねえ、歴史上の有名人、秦の始皇帝、楊貴妃など時代によって悪人ともヒーローとも評される人物の功罪をクローズアップ。他にも國學院大學博物館で〈悪―まつろわぬ者たち―〉展、国立劇場伝統芸能情報館〈悪を演る―歌舞伎の創造力―〉、ヴァニラ画廊〈HN［悪・魔的］コレクション〜evil devil〉、そして極めつけは原宿の浮世絵美術館〈江戸の悪〉展。さあ、どれでも好きなの行っとくれ！」

という事でやって来ました「江戸の悪　PARTⅡ」太田記念美術館　2018年6月2日〜7月29日、￥1000。原宿ラフォーレの真裏にある一軒家。悪の巣窟とも見えぬこの建物は知る人ぞ知る浮世絵の美術館。なので展示してあるのは全て浮世絵。江戸時代から明治初期にかけて、歌舞伎の舞台演目のそれも悪党悪人を主人公として描いたものを選りすぐっている。なので描かれた悪人は実は本人ではなくそれを演じた歌舞伎役者の似顔絵となっている。いやあ、迫力満点だよ。その力瘤、足の踏ん張り方。殺す刀の握り方、切っ先の肉への食い込み、迸る血飛沫、いやあ、いずれも凄味の効いたド迫力で夏涼みにぴったり。その悪の原点は「超人的な力強さ」だと解説にある。登場人物で紹介されるのは、まず盗賊の「石川五右衛門」「鼠小僧」「三人吉三」、侠客の「幡随院長兵衛」、悪臣の「高師直（吉良上野介）」、悪僧の「河内山宗俊」、怪談の「民谷伊右衛門」、悪女の「八百屋お七」などがずらずらっとズラリ。そして巻末の解説に曰く。歌舞伎ほどさまざまな「悪」が登場し、それを華麗に魅力的に描く演劇は珍しい。それは「かぶき者」と呼ばれた無頼の徒から始まる「歌舞伎の起源」にもよるのだろうが、江戸幕末期になると実に多様な悪の姿が登場し犯罪者＆反社会的勢力がヒーローとなって活躍する。平和に倦んで強い刺激を求める心、その一方で募る閉塞感、そうした世紀末的な時代の風潮が、悪への強い憧憬を生んだのであろう。

◆アメリカ映画が描く「悪」

そういえば、現代映画でも、以前と比べて悪の比重が強くなっている気がする。例えば２０１４年のディズニー映画『マレフィセント』、ディズニーだよ。ああ、それなのに「眠れる森の美女」を眠らせた魔女「マレフィセント」の側から悪を描く。演じるのはアンジェリーナ・ジョリー。アンジーだよ。怖いよ〜。愛する少年から裏切られた妖精の国の少女アンジーがいかに悪の心を育てて復讐に立ち上がるかを、そのきめ細かな心理描写によって描く。その辿りついた悪の気高さ、悲壮感はまるで歌舞伎を見ているよう。映画館の客席で私は思わず「ディズニー歌舞伎誕生！」と喝采を送ったのでした。あるいは2017年の「スター・ウォーズ／最後のジェダイ」これは誰もが知っている正義＝ジェダイVS悪＝ファーストオーダー軍の第8話なのだが、初期の頃活躍していた正義の戦士ジェダイ達がどんどん数少なくなって絶滅寸前。悪との戦闘は敗戦に次ぐ敗戦で逃げてばかり。しかも物語の核心は父ベイダーを殺して悪に堕ち、それでもなお悪と正義の間を揺れ動くカイロ・レンの心の葛藤の物語。つまりスター・ウォーズは「正義が勝つ」から「悪こそ正義」の映画へと変容し続けている。

◆日本のテレビが描いた「正義」

いつからそんな事になったのか？　私が小さい頃は正義は自明のことだった。テレビの中のヒーローは「月光仮面」であり「怪傑ハリマオ」であり「隠密剣士」であった。我々小学生は正義の主人公と一体化して悪人をバッタバッタとやっつけていたのだった。それが娘の時代になると「アンパンマン」。ある時娘が「ばいきんまん」のファンらしいと知って私は強いショックを受けた。そうあの日あの頃、日本の小学生も又すでに「悪」に目覚めていたのだろうか?!

◆アメリカの黒歴史

アメリカ映画の悪への傾斜は、これまでの世界の警察官を任じて来た「アメリカの正義」をアメリカ人自身が信じられなくなったから、という説がある。しかしアメリカにそもそも正義なんてあったのか?　それはアメリカの過去にさかのぼる。ヨーロッパを食い詰めた者たちがアメリカ大陸に流れ着く。そこで現地に住んでいたインディアンたちを皆殺しにしながら西部を開拓していったのが「西部劇」。それだけではない。開拓と綿畑の労働力としてアフリカ大陸から奴隷を調達し牛馬の如く働かせた。根っからの野蛮人なのだ。「西部劇」が描く保安官の「正義」など今となってはお笑い草。つまり自分勝手な正義を振りかざした「野蛮な悪の活力」こそが強いアメリカの正体なのだ。

◆世界で一番悪い奴ら

アメリカだけではない。世界の国々は全て黒歴史を背負っている。例えばドイツのヒトラー。ホロコーストで600万人のユダヤ人を虐殺した。ソ連のスターリンはシベリアの強制労働収容所で2000万人。毛沢東は文化大革命で4000万人以上の国民を死に追いやった。2016年公開のカンボジア映画『シアター・プノンペン』では1975年当時のポルポト政権の200万人虐殺を描いている。それは毛沢東思想にかぶれたポルポトが行ったカンボジア版文化大革命だったのだが、内実は自国民同士による密告と裏切りによるものだった。という事は今現在生きている人は、仲間や家族を密告した側の人間とその子供たちという事になる。事実この映画のソト監督もまた、父母からあの時代の映画を撮る事を強く反対されたという。そう、カンボジア国民にとってあの時代は無かったことにしなければ生きていけないのだ。ポルポトとの共犯の記憶はいつまでたっても癒やしがたい罪なのだ。

◆野蛮で力強いリーダーたち

フォーブスの「世界で最も影響力のある人物」ランキングの2017年版トップは中国の「習近平」であるという。文化大革命当時、反動学生と批判され7年間、延安市に下放された筋金入りは国家主席にまで上り詰め今では世界覇権へまっしぐら。昨年度1位のロシアのプーチンもまた彼を批判する100人以上のジャーナリストを粛清し、その強面でソビエト連邦時代の縄張り復活を目指す。国家安定のための粛清なら新人の金正恩も負けてはいない。34歳の若さで父子3代悲願の核兵器を開発し米朝会談を実現させ一気に世界ヤクザの大舞台に踊り出た。金正恩を手引きしたアメリカのトランプは、例えて言えば関東連合をはべらせて悦に入る大金持ちの役回り。これだけの悪党が入り乱れる国際舞台では日本の安倍晋三はどう見てもお坊ちゃま育ちの小悪党。ましてや日本の野党の政治家は悪党になる覚悟がないのでとても表舞台には出せない。

◆日本の共犯者たち

「森友・加計（モリカケ）問題」で明らかになった事は1年かけても安倍政権を追い詰められない「野党の実力」。そしてもう一つ、この問題で、安倍晋三がシロだと思っている国民はただの一人もいない事。シロじゃないけど大した悪じゃない。謝れば済む範囲。なので知っていながら見て見ぬふり。つまり「共犯者」になってしまったのだ。今安倍内閣の支持率は40％。彼らは格差社会の勝ち組と、その予備軍で「強さを愛する悪人たち」。一方、野党支持の10％は「からきし弱い負け犬の正義漢」、そして支持政党なしの50％が「ただの善人」。だとすると、今回のモリカケ問題は安倍晋三の踏絵だったのか？　踏絵を踏んだ50％の善人たちよ。新たな共犯者たちよ。「ようこそ、悪の世界へ」

◆参考文献

〈江戸の悪　ＰＡＲＴⅡ〉公式ガイドブック　２０１８

「世界史虐殺者ランキング」ネット記事　２０１４

死刑囚・カーキー

旅先でテレビを見ていたら死刑好感度調査を発表していた。①死刑は廃止すべきである9％②死刑もやむを得ない81％③わからない＆一概には言えない10％。えっ？　死刑賛成8割もいたのか？　やっぱ、京アニ放火殺人事件の影響か、相模原施設殺傷事件も審議中だしなあ、と思ってググったら私が間違っていた。アンケートは実は5年おきに内閣府が実施していて、前回の平成26年は廃止10％、やむなし80％、わからない10％。何だ、ほとんど変わってないじゃん。さらに調べると死刑廃止が一番盛り上がっていたのは昭和50年。廃止21％。逆に死刑賛成が一番盛り上がるのが平成21年で廃止6％、やむなし87％。ずいぶん世論って変動するものなんだね。私はどちらかって？　昭和50年頃は廃止派で今現在はどちらでも。だって民主主義でしょ？　多数決でしょ？　賛成が8割もいるのだったら、すればいいんじゃないの？　死刑。と思ってググったら私が間違っていた。世界は今ざっくり言って7割が死刑廃止国で3割死刑存置国だが、民主主義で死刑廃止になった国は一つもない。1965年に英国が廃止したのは冤罪処刑が原因だし、1978年スペイン、1981年フランス、1987年フィリピン、いずれも政権交代時に死刑廃止した。なので日本にも実はチャンスはあったのだ。もし2009年の政権交代時、民主党が死刑廃止法案を提出して国会で一気に採決に持ち込めば死刑は廃止になっていた。そうすれば今頃アンケートで死刑賛成が10%、死刑廃止もやむなしが80%になっていただろう。世論なんてそんなものさ。しかし民主党は法案提出の動きさえ見せなかった。何て「間抜けな政党」だろう。さらに死刑廃止論者で有名だった千葉景子議員は法務大臣となり、あろうこと

死刑囚表現展外観

か死刑を許可、執行し「死刑問題を喚起するため」と弁明した。「愚かな政治家」と言う他はない。

「あの時死刑廃止になっていれば、オウムもあんなにドタバタと殺される事はなかったのにね」おっとそのお声は、武蔵野の十三階段と呼ばれるヘンシューチョーではあーりませんか。「階段ではありません」「すっかり忘れてましたオウム真理教」「忘れてはなりません。2018年7月6日に麻原彰晃＋2人が東京拘置所で、他4人が大阪・広島・福岡の拘置所で。7月26日には東京・名古屋・仙台で6名、計13名が処刑された」「アンケート死刑容認の理由のトップは何でしたっけ？」「被害者や家族の気持ちがおさまらない」「えっ？　法治国家なのに？　理性じゃなくて感情で死刑？」「その気持ちも分からなくはないけど」「まるで仇討ちじゃないですか」「あえて言うなら必殺仕事人」「主水ですか。それっていつから？」「1999年、山口県光市母子殺人事件から」「それって」「18歳少年が抵抗する主婦を殺害し屍姦し、さらに母の隣で泣き叫ぶ11カ月の乳児の首を絞めて殺した」「それは酷すぎる」「ところが一審が無期懲役」「う〜ん、それで？」「被害者の夫がキレた」

「どんなふうに?」「〈加害者を社会に早く出してもらいたい。そうすれば私が殺す〉と」「やっぱり主水だ」「これまで日本の裁判で全く無視されてきた被害者家族の声を届けようと夫は犯罪被害者の会を立ち上げ〈犯罪被害者等基本法〉の成立に尽力した」「それで?」「2008年、裁判に被害者参加制度が出来た」「被害者参加?」「裁判の陳述で、〈被告を死刑にしてください〉と被害者遺族が何人も泣きながら訴える」「それはそれで問題かも」「それで本当に死刑になったりする」「光市の場合は?」「死刑」「じゃあ、もう執行された?」「まだ」「じゃあ今現在も刑務所にいるんだ」「拘置所だけど」「そもそも今現在、日本の死刑囚って何人くらい?」「109人」「普通すぐ死なないでしょ? 10年も20年も。でもいつか死ぬまで毎日何考えて生きているのだろう?」「それが知りたければ今すぐ行ってらっしゃい、死刑囚の展覧会。早く行かないと処刑されちゃうよ!」

という事でやって来ました「死刑囚表現展2019」2019年12月6〜8日、東京・松本治一郎記念会館・入場無料・主催=死刑廃止のための大道寺幸子・赤堀政夫基金/死刑廃止国際条約の批准を求めるFORUM90。

しかし間にあわなかった!!　この展覧会の常連で、その才能を高く評価されていた響野湾子こと庄司幸一さんが出品直後の8月に処刑されたという。この表現展は２００５年第1回開催で第8回（２０１２）には和歌山毒物カレー事件の林眞須美死刑囚が俳句「春が来たまっちゃん殺され泣き桜」で佳作入選している。第11回（２０１５）に秋葉原通り魔事件の加藤智大が「パズル」で入賞し、以降常連となっている。２０１７年第13回にはオウムの宮前（旧姓岡崎）一明（坂本弁護士一家殺害事件）が幻想的な画を出品している。応募された川柳、詩、短歌、随筆など19名の作品はここ5Fの小さなワンフロアーには収まらず、展示されているのは絵画の13名。井上孝紘（福岡）・上田美由紀（広島）・奥本章寛（福岡）・加藤智大（東京）・金川一（福岡）・北村孝（大阪）・北村真美（福岡）・響野湾子（東京）高尾康司（東京）・西口宗宏（大阪）・音音（不明）・原正志（福岡）・山田浩二（大阪）・露雲宇流布（東京）この中で知ってる人いる？　私は秋葉原通り魔事件の加藤智大だけ。多分山田浩二の顔も見覚えがある。あれ何の事件だったたっけ？　確か男女2人の中学生を殺害した寝屋川事件。絵はキャンパスに描いたものは一枚もなく、端切れの紙から色紙までてんでバラバラ、色鉛筆も絵具もまちまちで、受付の関係者に聞くと、拘置所に図工室があるわけもなく差し入れが無ければ筆記用具も用紙もままならない。作品募集の告知は基金が勝手にやっているだけで拘置所が協力的なわけではない。死刑囚もまた各自工夫しなければ作品を描いたり提出する事は出来ないのが現状だという。そんな必死の思いで描かれた加藤の絵って漫画の書き割りみたいな大胆な構成で面白い。反対に山田の絵は土下座している自分の姿に、吹き出しで文字がいっぱい書いてある。「助けてください！」「怖いよう」「苦しいよう」「辛いよう」「淋しいよう」「悲しいよう」「これだけ反省しているのにどうして？」

◆死刑囚・カーキー

死刑囚の朝は午前7時起床。7時15分点検。7時25分朝食と決まっている。

3畳くらいのワンルームトイレ付。毎日40分だけ戸外活動があり入浴は単身15分間で週2回。読書OK、テレビは週2回が決まりらしいが、面会や差し入れは各拘置所の所長の裁量に任されていて、かなり不自由と聞く。そしてこの日の朝7時15

分、いつもと違う刑務官2人の足音がドア前でピタリと止まり「カーキー、出房だ」。よく見ると1人は女性で見覚えがある。「キクチ！　栃木刑務所からこちらに移っていたのか?!」と声を掛けるが無視される。独居房から出ると、3人の警備員に背中を押され、いつもは通らない渡り廊下を進んで見知らぬ建物の前に出る。扉が開かれそこは多分処刑場。狭い通路を少し進むと突き当たりに急な階段があり、さてはこれが有名な13階段か、私は軽やかに2段跳びで一気に駆け上がり着いた部屋には5人の偉いさんが待っていた。多分拘置所長や検察局。ところで中央の女性は一体誰？「今日は直々に千葉法務大臣がお見えだ」って事は「愚かな大臣」、言うんじゃなかった、もしかして国家侮辱罪で私は死刑になったのか？　後ろに控えたローマ法王が三面柱を回転させると大日如来像、キリスト磔像、そして最後は何故か麻原彰晃が座っていた。「どの宗教を選びますか？」「宗教はノーサンキュー。それより処刑方法は？　日本人なら武士ならば、ここは切腹、介錯と願いたい」「それは明治14年に終わっている。首切り浅右衛門はもういない」「ヒロシがいる。一刀流の介錯の儀、いささかの粗相もあるまい。呼んでたもれ」「なりませぬ」「何ゆえ？」「絞首刑が決まりでござる」「左様ならば仕方あるまい。いざ参らん」と気持ちを切り替え廊下を進むと死刑執行ボタン押し場で何故かカミさんと娘二人が軽蔑の目でこちらを見ている。いつからボタンは加害者家族が押すようになったのだろう？「じゃあね」と軽く声を掛けると途端にいつもの笑顔となり「いってらっしゃい」と小さく手を振る。いい家族だ。心置きなく私は処刑のロープ下。「これねボク、得意なんですよ。テレビドラマのウチトラで、内トラって分かる？内部エキストラ。だって死刑囚役が浅丘ルリ子さんでしょ。浅丘さんの首吊るのっていくらドラマでも万一の事があったら大変。ここは助監督の出番でしょ？　だからテキパキと間違いないように素早くルリ子さんの首にロープの輪を潜らせて、首にピタリと当てがって……」

死刑囚表現展会場

「えっ、それ何？」刑務官が私の顔に黒い布袋をかぶせようとする。「いらないってば、そんなもの。武士でござるぞ、無礼者！」と一喝するが、いつの間にか手錠がかけられ、もう一人の刑務官がロープを手にして震えている。「へたくそ！」あれ、こいつ刑務官じゃないぞ、よく見ると会った事はないが光市事件の夫じゃなかろうか？　って事は私の罪状は母子殺人事件？　違う！　私じゃない！　やったのは少年だってば！　冤罪だ！　冤罪はイヤだ！　と私は猛然と反撃に出る。暴れまくる。しかしロープが首に掛かったと同時に足元の板がすっぽりと抜けて一気に落下、落ちてぶら下がり、物凄い痙攣とともに揺れ動く体を下に待ち受ける刑務官が必死で押さえつけ、すると私のもがいた両手は丁度バンザイの形のまま、それじゃまるでグリコ。東京マラソンで２０１３年、ネットタイム４時間３分でゴールした写真そのまま。（この期に及んで自慢かよ？）で私は息絶え、それでも心臓はまだ動き医師が脈拍をとり聴診器を当てて14分。死亡を確認して処刑が完了する。「ハイ、そこからゆっくりズームバックして」と指示を出す私の声は一体どこから？　それは映画？　それともドキュメンタリー？　何故か映画『蒲田行進曲』の音楽が流れ高まって……。これにてカーキー、一巻の終わりでございます。

◆参考文献

『オウム大虐殺（年報・死刑廃止2019）』死刑廃止委員会編集　インパクト出版会　2019
『アメリカ人のみた日本の死刑』デイビッド・T・ジョンソン　岩波新書　2019
『誰も知らない死刑の舞台裏』近藤昭二　二見レインボー文庫　2018
ネット検索「(死刑関連記事)」2019

第四試合

映画と戦争

⑧永遠の0（2013）
⑨無声映画（2016）

『永遠の0』

戦争って古今東西必ずどこかでやっている人類のレギュラーイベントだけれど、遺伝子に刷り込まれた情報を読み解くと、それは「人口が増えすぎないように」という神様の配慮があるらしい。確かに、もしこれまで戦争が一度もなかったとしたら人類はとっくの昔に滅びていたことだろう。第2次世界大戦以来70年間日本は戦争をしていないが、それは戦争をしなくても人口が減っているから。その一方で戦争はやり続けないとその技術の継承が絶えてしまうという説もある。例えば伊勢神宮の20年ごとの遷宮で建築技術が何千年と継承できたように、20年に一度戦争をしていれば戦争のやり方は忘れない。それだけではない。戦争による科学技術の発展は言うまでもないが、文化はどうか？　戦争はこれまで文学や美術や写真や映画にネタを提供し数多くの偉大な作品を生んできた。現にアメリカは今も毎年のようにホットな戦争映画を作り続けている。だとしたら日本も20年に一度は戦争の新ネタを提供しないと文化が枯れてしまわないか？　これもみな神様の……。

「ええい黙らっしゃい！　私はそんなことを言った覚えは無くてよ！」おっとそのお声は武蔵野の毘沙門天！「戦争はいけません！　70年前の戦争だっていまだに立派なネタになってます！」「毎年夏の無理やり戦争特集ですか？」「テレビじゃなくて文学と映画です！　『永遠の0』って知らないの？」「はて、永遠のゼロってことは0の小数点以下が0000000？」「美しいでしょ？」「どういう意味ですか？」「ゼロ戦のこと」「ゼロ戦ならオイラも小学生の頃プラモデル作ってましたけど」「私はモンペをはいて〈パーマネントはやめませう！〉違うって！　それは零式艦上戦闘機のこと。海軍に正式採用された昭和15年が皇紀2600年なので末尾の00にちなんで命名されたの」「そのゼロがどうしましたって？」「文庫本売上げ350万部、昨年12月公開の映画は興行収入50億超えで実写映画№1。ちなみに興収1位は120億超えのアニメ映画〈風立ちぬ〉これまたゼロ戦の設計者の物語よ」

ということで行ってきましたT・ジョイ大泉。このシネコンは練馬区の東映東京撮影所の一角にあり、ロビーには映画『動乱』のポスターと高倉健、吉永小百合の手のレプリカが飾ってある。老若男女で大賑わいのお正月。私も和服姿で映画鑑賞としゃれてみた。

◆映画『永遠の0』

映画の冒頭はゼロ戦の見た目で海面すれすれ飛行から始まる。なんだか新鮮でワクワクする。これは今まで見た日本の戦争映画とは全然違うぞとの予感がする。ストーリーは三浦春馬が亡くなったお婆ちゃんの最初の旦那さん、つまり祖父の戦時中の足跡を調べるというドキュ

『永遠の0』パンフ

メンタリータッチ。お婆ちゃんが再婚した相手の今のお爺ちゃんは夏八木勲。『終戦のエンペラー』でも輝いていたし、亡くなる1〜2年前にどれほど精力的に仕事をしていたのかと感心する。さて遺族会に問い合わせて最初に会った戦友、平幹二朗は吐き捨てるように言う。「あいつは海軍一の臆病者だった」と。え？　人間のクズのような言われ方に意気消沈する春馬。でも最初に「立派な人でした」と言われたらあまり映画の続きを見る気がしないよね。ということで掴みはOK。その後訪ねる何人かの戦友を橋爪功、田中泯らが恐るべき演技力で見せてくれる。回想シーンで出てくる若き日の戦友役に濱田岳、新井浩文、染谷

ゼロ戦カーキー

将太、そしてお爺ちゃんの青春時代が岡田准一！　まるで伝説のゼロ戦パイロット宮部久蔵が乗り移ったかのような神業演技を見せる。戦友の証言と共に岡田の「臆病」の理由が徐々に明らかになる。戦場の最前線で「生きて妻子のもとに帰りたい」とぬけぬけと言うのだ。そんな兵隊が現実に存在したのか？　この宮部久蔵は実在の人物か？　それともフィクションか？　謎が謎を呼びながら映画の舞台は真珠湾、ミッドウェー、ラバウル、ガダルカナルと敗戦へ向かう戦場を転々とし、やがて内地で特攻隊の指導教官となった宮部の苦悩を描き終戦直前の8月、自ら特攻隊員として志願し自爆する宮部の姿で終わる。あれほど生に執着した宮部が何故最後の最後に特攻を志願したのか？　そして最後の出撃の時、宮部があえて教え子を不調のゼロ戦機に乗せ、その結果不時着して生き残ったらしいその人の名前とは？一百田尚樹を原作とする映画はまさかのどんでん返しに向かって大きな舵を切る。一方現実の春馬は友人から「特攻はテロだ」と罵倒され大ゲンカになったりする。若者が見ても十分面白い映画なのだ。原作を読むと、昭和16年真珠湾攻撃の始まりから昭和20年8月の特攻基地の敗戦まで宮部の足跡を追って順に描かれ、「あの戦争の全て」が若者でも十分理解できるようになっている。そして映画はそれに加えてゼロ戦の戦闘シーンを生で見せるのだ。何のごまかしもなく空母にゼロ戦が発着するそのシーンを見ただけで驚いてしまう。こうやって艦上に止まるのか?! ゼロ戦と敵機の戦闘シーンはもっと驚く。スピードが速すぎて敵か味方かわからないのだ。こんな空中戦今まで見たことがない! こんなに素晴らしい映画を作ったのは一体誰だろうと、珍しくパンフレットを買ってみた。700円でみっちり情報満載のお得なパンフには、監督脚本VFX山崎貴とある。『ALWAYS三丁目の夕日』の監督で49歳。凄いよね。プレビズアドバイザーという聞き慣れない肩書きで栃林秀が紹介されている。何でも空戦アニメーションの第一人者で、彼の作ったCG動画を基に空中戦が映像化されている。臨場感の秘密は、例えばゼロ戦のスピードが時速400㎞とすると1秒111メートルとしてリアルに再現しているとの事。

◆陸軍技術少尉安藤孝重

私の父は昭和18年6月、21歳で赤紙召集。船舶兵として大阪暁2945部隊に所属した。その年8月フィリピン・イロイロに渡る。技術幹部生候補試験に受かったため19年6月内地に戻り東京滝野川の兵器学校を経て20年3月には甲子園で神戸大空襲を体験。同じく20年の6月に広島に移り宇品で水中魚雷探知装置の開発研究をしていたという。8月6日新型特殊爆弾投下の時は兵舎の中にいた。その後偵察のため市内を歩くと、その惨状は凄まじく焼けただれた人々から「兵隊さん、水をくれ」と言われ、いつもは携帯している水筒を忘れていたので大いに後悔したという。15日の終戦とともに香川県に帰郷、日本発送電（その後の四国電力）に復職した。戦後は24年に喀血してその後肺結核を長く患うことになる。とても病弱な父だった。白血球の数が異常だったが自分が被爆しているかどうか、気にかけたことも無いという。30年代になって近所の人に勧められるまま申請すると被爆手帳2級を渡された。しかし不思議なことに、父は被爆者なのに反戦平和主義者ではなかった。右翼という程ではないが、産経新聞を愛読し他の新聞・テレビ・マスコミは全て左翼だと言うくらいのごく平凡な保守主義者であった。そんな父が死ぬまで怒っていたことがある。それは広島平和公園に刻まれている石碑の言葉「安らかに眠って下さい過ちは繰返しませぬから」。これは一体どういう意味なのか？　と私に詰め寄るのだ。「誰が誰に言っている言葉なのか？　過ちとは何のことか？　あの戦争は過ちではない。アジアの人々を解放するために我々は戦い、事実、戦後アジアの多くの国が植民地から脱して独立したではないか。その戦争のどこが過ちなのか?!」この言葉の5年後、平成24年父は90歳で亡くなった。そして高松市の奇しくも平和公園と名付けられた安藤家の墓に眠っている。そして思う。広島の平和公園の石碑の下には実は被爆死した人々の遺骨が納められている。ということは、父の質問に対する答えは「あの戦争を過ちだったと思う人々が、原爆で亡くなった人々に誓った言葉」ということになる。慰霊碑の下にはきっと「兵隊さん水をくれ」と言った人々も眠っているのだろう。そして父は被爆者としてではなく兵

広島平和石碑

隊さんとして戦後を生き90歳の長寿を全うした。

◆日中韓戦争は起こるのか?

父が解放したと信じる東アジアの国々で、今戦争に最も近いのはどの国だろうか? タイ? フィリピン? ベトナム? いやいや日中韓が実は一番ホットだったりして。安倍首相の唱える集団的自衛権の法整備や、国防軍の設置は果たしてどこまで戦争を想定したものなのか? いくつか本を読んでみて分かった事。それは今の日本には軍事力はあるが、明日すぐにでも戦争を始める力はないという事だ。そりゃそうだよね。70年も戦争してないんだから。尖閣諸島だって、守っているのは海上保安庁。本気出すならあの海域で自衛隊が訓練しなきゃおかしいでしょ、って話になる。結局いくら勇ましい事を言っても実際問題、日中戦争はありえない、というのが内閣及び自衛隊の見解らしい。いやいや尖閣だって中国側が暴走すれば発砲など死者が出てもおかしくないと思うかもしれないが、それは部分的な戦闘であって戦争とは呼ばない。実際北方領土では日本の漁船員が領海侵犯でロシアの船に撃ち殺された事件が記憶に新しいが、結局見殺しで戦争しようとは誰も言わなかった。戦争とは国家の司令部が相手国に対して戦争宣言して初めて始まるものなのだ。じゃあなぜ今集団自衛権なのか？　実は2020年までに中国は空母4隻を建造すると宣言しているらしい。一方、自衛隊が戦争体制を整えるのに法整備した後少なくとも5年はかかるという。つまり2020年を目指して安倍内閣は中国にナメられないよう、すぐさま戦争の出来る軍隊（自衛隊）整備を急いでいるわけだ（あれ？　2020年って東京オリンピックの年じゃなかったっけ?）。そこまでしても戦争の可能性は日中より米中の方が高いという。が、いざ米中戦争に入った途端中国の経済がストップするのは目に見えている。そしてそれは中国にとっては勿論のこと米国にとっても、そして日本にとってもあまりにデメリットが大きいので、すぐさま手打ちが行われるだろうというのが現時点での世界の読みらしい。つまり戦争にお互い何のメリットもないのだ。意地は通せても経済ストップからくる自国と世界の経済恐慌を考えれば足がすくむのが日米中韓の現実であるということか。「金持ち同士ケンカせず」が現代戦争の流儀であるようだ。

だとしたら、国を守るため、愛する人を守るために多くの若者が命を捨てたあの戦争は一体何だったのか？　70年後の今に語り継がれ、そして未来永劫私たちの胸に生き続けるであろう「永遠に死ぬことのないゼロの魂」は幻となってしまうのだろうか？　それは、神様のみぞ知る……。

◆参考映画

『永遠の0』監督山崎貴　「永遠の0」製作委員会

◆参考文献

『永遠の0』百田尚樹　講談社文庫　2009
『集団的自衛権の深層』松竹伸幸　平凡社新書　2013
『新たなる日中戦争』田母神俊雄　徳間書店　2010
『語られざる中国の結末』宮家邦彦　ＰＨＰ新書　2013

無声映画

日が暮れて日暮里なんてえオヤジなギャグを呟きつつ、向かったのは駅からほんの五十歩百歩の日暮里サニーホール、第695回無声映画鑑賞会。えっ？　イマドキ無声映画？　しかも第695回！　始まったのは戦前かよ？　一体どんな酔狂が集まっているのやら、ちょいと覗いてごらんなさいなと色っぽい姐さんがそそのかすもんだから、着いちゃったじゃないか夕方6時開場の30分前。どんなに早くても、やっぱいたよ、ジジババが。毎月開催の会員料金が1000円当日2000円のところ、私は電話予約で1500円。映画3本立てで弁士付なら決して高くはない。おっと弁士とは無声映画の上映中スクリーン脇にいてずっとナレーションやらセリフを延々しゃべり続ける人の事。客席数100の小さなホールに16ミリ映写機をでんと構え7割がた埋まった客席に向けて現役弁士の口上が始まる。さて演目は『切られお富』（昭和12年）弁士：山城秀之・山内菜々子。『魚や剣法』（昭和4年）弁士：片岡一郎。そして『とろ八女日記』（昭和13年）弁士：澤登翠。ところでこれら戦前の映画は何故無声なのか？　そもそも無声映画っていつから、いつまで？　私は映画学校出身なのに、映画の歴史をまるでご存じない事に今更ながら気づくのだ。

「まあ、とんだお馬鹿さんだ事、エジソンもリュミエール兄弟も知らなくてよく生きてられるわねえ」おっとその声は駅前であたいをそそのかしたお富さん。「知らざあ、言って聞かせやしょう。文明開化の音がする明治になって30年。日清戦争の勝ち戦の頃、西洋のリュミエール兄弟が発明せしシネマトグラフが大阪で初公開ってんでそれは大騒ぎ。早速真似して撮影機を作りわずか2年で和製活動写真第1号『ピストル強盗清水定吉』、世界的に録音技術未熟につき映画は無音。されば解説者が必要という事で活動弁士が誕生したという。といってもそれは歌舞伎、文楽など舞台袖で裏方芸人が説明する演劇形態に馴れた日本人ならでは。外国人には思いもよらず、弁士は世界で唯一日本だけの発明であったそうな。その後活動写真は大人気、明治45年には製作会社4社が合同し日本活動写真株式会社（略して日活）が誕生した、とまあこういうわけよ」「日活ってあの裕次郎や旭のあの日活？」「そう。

でもまだその頃はぶっちゃけ舞台の映像化。しかも俳優に問題があったとか」「訛りですか？」「無声映画に訛りはありません！　女優ではなく女形（男）が女性を演じていたって」「（絶句！）」「男優も歌舞伎役者は出てくれない。檜の舞台が誇りなのに、土の上で芝居するのは泥芝居だと軽蔑した」「意味分かんねえ」「俳優だけじゃない。日本映画の父と呼ばれる牧野省三を父に持つマキノ雅弘は、小学生の頃〈河原乞食！〉と同級生から石を投げられた」「マジっすか？」「そんな時代をガラリと変えるとんでもない映画がアメリカからやってきた。さあ何でしょう？」「（汗）」「知りたければ、観たければ、行ってらっしゃい第

会場受付

696回無声映画鑑賞会」

◆『イントレランス』大正8年日本公開（114分）監督：D・W・グリフィス　弁士：澤登翠

これ、初めて見たけど一種異様な大作。アメリカでは大コケでグリフィスはハリウッドを夜逃げしたとか。それもその筈、話が複雑すぎるのだ。映画の出だしは1910年代、つまり製作時期、世界の工場であったアメリカの労働者たちは幸せに働き夜はダンスに興じていたが、愛国婦人会のような連中が風紀粛清に乗りだし、ダンス禁止&労働賃金カット↓労働者ストライキ↓大量解雇↓失業者たちの困難な生活↓犯罪に手を染める↓そんな犯罪者の家庭に赤ちゃんは育てられないと愛国婦人会が若夫妻から赤ちゃんを取り上げる。てな実話ドラマ。なのでタイトルが「不寛容（イントレランス）」これだけで面白いのに、話の途中でぶった切り、何故か古代バビロンの話がからむ。キリスト受難の話がからむ、フランスの聖バーソロミューの虐殺がからむ。つまり何の脈絡もない四つの物語が同時進行してゆくというぶっ飛んだ構成なのだ。１００年前の人類には理解不能。だがよく見ると……。栄耀栄華を極めるバビロンの都にペルシャ軍が攻めて来る。しかし男勝りの野生女が男に交じって活躍し激戦を制す。これ物凄い迫力で戦争アクション映画のエッセンスの全てが詰まっている。しかもセットのデカさがハンパない。かの巨大セットを誇った映画『クレオパトラ』もこの『イントレランス』を真似したに違いない。今でこそ大傑作文句なしの映画だが、天才を通り越して狂気の沙汰。

◆さあ、これを見て驚きショックを受けたのが日本の映画青年たち。雑誌『キネマ旬

会場中

報』を創刊し映画批評が芽生え、弁士こそ諸悪の根源と断じた。「活動写真」に代わって「映画」という呼び名が定着したのもこの頃。相前後して松竹は蒲田撮影所をオープン、女形を排し、小山内薫と組んで新劇の俳優を映画に抜擢し、『虞美人草』に主演した栗島すみ子は大人気を博してスター女優第1号。この勢いは大正12年関東大震災が起きても止まらない。これまで歌舞伎のようにゆっくり斬っては見得を切る人気スター「目玉の松ちゃん」こと尾上松之助に変わって、リアルでスピーディーな殺陣&侍の鬱屈を心理表現する新星が現れたのだ。バンツマこと阪東妻三郎の登場である。

活弁舞台

◆『雄呂血』大正14年（74分目安）監督：二川文太郎

驚くなかれ、この作品は今やＤＶＤで見ることができる。しかも弁士の口上が2種類、松田春翠バージョンと澤登翠バージョンのいずれかを選択。しかも『逆流』と2本立てで￥５０００ってんだから安い！　さらに特典の佐藤忠男解説によるとタイトルのオロチに意味はないと言うから恐れ入る。24歳のバンツマ演じるは享保（吉宗）時代の真面目な漢学塾生。だが酒席で家老の息子と乱闘となり破門される。さらには誤解が重なり藩からも放逐され、浪人となって落ちぶれ牢獄に繋がれ、やがてヤクザの用心棒となる。そして世をすねて恨むのだ。「善の皮を被った悪人ばかりが世にはばかり、何も悪い事をしていない俺が悪人呼ばわりされる」十手捕り物に囲まれて戦うラスト延々12分の大立ち回りは今見ても迫力満点、空前絶後の傑作である。

◆この映画を見たらもう歌舞伎の殺陣には戻れない。リアルチャンバラの時代劇スターが大正末から昭和初期にかけて続々と現れた。市川右太衛門の『旗本退屈男』、嵐寛寿郎の『鞍馬天狗』、片岡千恵蔵の『瞼の母』、大河内傳次郎の『丹下左膳』。そして昭和6年満州事変が起きたこの年、日本映画に大事件が起こる。すなわちトーキー映画の誕生である（五所平之助〈マダムと女房〉しかも同年公開された洋画『モロッコ』に日本語の字幕が初めて付いた。さあ、音はある字幕もある。つまり弁士の存在理由が無くなってしまったのだ。失業した弁士たちはストライキを起こしたが後の祭り。時代の針は戻せない。同年設立した日本トーキー研究所（PCL）はその後昭和12年阪急宝塚資本を得て「東宝」となるが、それに先立つ昭和9年日活は調布撮影所をオープン、松竹も昭和11年大船撮影所をオープンさせて時代はトーキーに全面的に舵を切った。だが、滅びゆく無声映画の最期の仇花、かの溝口健二が撮った傑作ここにあり、と聞けばついDVDを買ってしまうのも人情か。

◆『瀧の白糸』昭和8年（98分目安）監督：溝口健二

タイトルの「瀧の白糸」とは入江たか子演じる水芸人（両手に持ったひしゃくから水を噴出させる手品芸）の名前。明治20年頃の金沢。見世物小屋の人気芸人だが男嫌いの白糸が一目惚れしたのがフリーターの馭者青年。青年には東京に出て法律の勉強をして出世したいという夢がある。「そのお金、私が工面いたしましょう」といきなり申し出る白糸。戸惑う青年はしかし「あなたは何が望みですか?」と問う。白糸「私を可愛がっておくんなさい」。いいねえ「可愛がっておくんなさい」。一夜だけ結ばれて後は仕送りする側とされる側。1年2年は仕送りも順調だったが3年目となると芝居興業の浮き沈み、金策に困った白糸は高利貸に金を借り、話がこじれて殺してしまう。白糸は捕まり時は流れて判決当日。東京からやり手の新人判事が合流するが、彼こそは白糸が送金し出世の夢を叶えた青年であった。青年は論告で白糸の罪を咎め法の裁きを諭す。白糸は舌を噛み切り自殺し、青年もまたその後を追うようにピストル自殺したと、泉鏡花原作の悲恋物語を弁士は思い入れたっぷりに切々と語るのであった。

◆第2次世界大戦の嵐と共に消えたはずの無声映画と活動弁士。ところが……。戦後、娯楽が少ないからと無声映画をかける映画館が現れ、呼ばれるままに地方を巡演しながら、散逸する無声映画の蒐集を始めた一人の弁士がいた。彼こそがマツダ映画社を設立し昭和34年第1回無声映画鑑賞会を開いた松田春翠その人であった。孤軍奮闘の時を経て昭和47年、春翠の『瀧の白糸』上映に感銘を受けたうら若き女性が弁士入門し澤登翠となった。さらに月日は流れ平成12年「東京キネマ倶楽部」オープンに伴う弁士募集に合格したのが山﨑バニラ。またたくまに着物に金髪、大正琴を自ら弾きながら弁じるという前代未聞のスタイルを確立し、現在に至っている。

◆じゃあ、見に行かなきゃね、山﨑バニラ。えっ？　ただ今妊娠中？　復帰予定は来年1月だって？　彼女は無声アニメーション映画を数多く発掘し、これを弁じて現代の

弁士：澤登翠

子どもたちに喝采を浴びているらしい。実は無声映画には知られざる傑作も数多く『子宝騒動』なんぞは海外のイベントで拍手喝采を受けるコメディー映画の鉄板ネタ。驚いたのはピンク映画で名を馳せた大蔵貢が何と、元弁士だという。どんな映画にも卑猥なジョークを連発し、どんな名作もエロ映画にしてしまうので大人気だったという。見たい、見たい、ＤＶＤないの？

「忘却とは忘れ去ること也」されど無声映画は決して忘却の彼方にあるのではない。バニラ、ミツグ、子宝騒動。まだまだ見たいものが綺羅星の如くある。さながら未だ見果てぬ夢の如し。忘れ得ずして憧憬の極みに至る無声映画の奥深さにこそ幸あれと願いつつ。これにて一巻の終わり。御静聴まことにありがとうございました。

◆参考文献

『活動弁士世界を駆ける』澤登翠　東京新聞出版局　２００２
『活弁士、山崎バニラ　弾き語り芸のひみつ』山崎バニラ　柑出版社　２００９
『日本映画史１１０年』四方田犬彦　集英社新書　２０１４

◆参考DVD

『雄呂血』阪東妻三郎出演作品　㈱デジタル・ミーム　2007

『瀧の白糸』溝口健二監督作品　㈱デジタル・ミーム　2007

第五試合

剣道と剣術

⑩無外流居合体験記（2012）

⑪世界剣道選手権2015

⑫剣道四段への道（2017）

無外流居合体験記

中学1年で剣道を始めた理由は何だったろう？　母方のオジサンに剣道八段と七段がいたから。特に八段のオジサンは満鉄に勤めていた戦時中、日満剣道大会で満州側の大将として出場、片手上段の名剣士として名を馳せたという。それには遠く及ばないが私も中3の時は高松市で個人優勝、香川県3位。中学に続いて高校時代も主将だったが特に活躍歴は無く大学に進んで三段となった。2年生の春、出場した中四国大会でわが広島大学は団体準優勝、私も個人戦でベスト16まで進んだがそこまで。大学中退に伴い剣道部も退部したのであこがれの武道館で試合をすることは叶わなかった。

「それって自慢かよ？」うっとりと青春の思い出にふけるカーキーに冷や水を浴びせるそのお声はやっぱぱヘンシューチョー。「地方大会でベスト16なんてしょぼい話やめてよね！」「すまんこってす」「そんなことより日本刀、真剣って持った事ある？」「ええまあ」「人を斬った事は？」「あるわけないでしょ！」「居合ってさカッコイイのよねえ」「座頭市ですか」「女性剣士がねえ真剣をビュッと振ってる様なんぞ同性でもゾクゾクするわ」「忍びのお千恵と呼ばれた姐さんまでも？」「昔話は止してちょうだい」「でも居合抜刀術の元祖と言えば？」「室町末期の林崎甚助」「そもそも剣術と居合の違いって何ですかね？」「そんなことも知らないの？」「剣道の段審査に居合は無いですから」「言い訳無用！いいこと？　剣術は実際の戦闘そのもの。居合は主に座った状態からの反撃を想定し

上津原象雲　普及協会会長

ているもの。片手で抜き打ちが基本だから剣術の諸手の威力にはかなわないという説もある」「なるほど、宮本武蔵が剣術で、賭場に座りっぱなしの座頭市が居合ってわけですね」「坂本竜馬も居合をやっていれば寺田屋で殺されなくて済んだかもね」

確かに居合は不思議議だ。剣道の段審査には実技と学科と日本剣道形の三つがあり、この日本剣道形が居合かというとそうではない。木刀を使って2人1組でやる打ち込みの演武は、さまざまな流派の剣術をまとめたもので居合とは似て非なるもの。そもそも居合は木刀ではやらない。真剣か模擬刀である。

恐いよねえ、真剣。だから居合は試合をしない。だからどちらが強いかはわからない。格闘技ではないのだ。1人で黙々と型をこなすだけの演武。しかしこれではいけないと思ったか昭和41年。第1回全日本居合道大会からは試合をやり勝敗を決することとなった。それでもお互い座った状態から抜き身も早く斬り合うわけもなく、選手は5本の形を6分以内に同時に演武し審判員が判定するという。

一体どんなものかとネットで検索してみた。「居合」で検索しただけで、あるわあるわ、You Tube動画が次から次へと山のように出てくる。10秒から長いものでも9分以内。しかし居合の型も試合も見ていてそんなに面白いものではない。面白いのは「柳生新陰流を学ぶ」というような剣術の動画。新陰流の爺さまが木刀で相手と面の相打ちをしてしかも百発百中で勝つ。相手の木刀を払うのではない。相打ちに打つのだけれど相手の木刀は外れ自分の木刀は剣筋を通して相手の頭を打ち砕く。秘訣は右手にある。右手親指と人差し指の間（これを「たつのくち」と呼んでいた）をまっすぐ相手に向ける形で木刀を撃ちおろすのだ。その指の間はタコだらけで鬼気迫る。居合の技で面白かったのは同じくYou Tube「甲野善紀――kobujutsu iai」。古武術家の甲野が実戦居合を解説する。その剣の捌き、体の捌きは驚嘆すべきものだが納得できるものでもある。といった按配で次から次へと検索すると突然三島由紀夫の名前が出て動画で三島の下手な居合が見られたりする（笑）。そしてやたら目につくのが居合教室の広告。「無外流」とある。聞いた事のない流派だが居合検索サイトのあらゆるところに広告が出ていて、場合によってはYou Tube画面の下段にまで広告が載っている。一体この団体、財団法人無外流とは何者ぞ?!

そのまま素直にネット検索すると、無外流とは元禄6年に始まりというから江戸時代、居合形・剣術を現代に伝える古流武術とある。道場の数が半端じゃない。都内だけで100もある。えええ？　日本最大の居合団体だろうか？　ヨーロッパ支部や北アメリカ連盟もあるというからけっこう国際的。活動歴を見ると外国人観光客の居合体験が目を引く。ホテルと組んでフランスのパティシエ70人居合試し斬り見学とかロシアKBG10日間居合試し斬り体験、あるいはアメリカメジャーリーグの開幕戦で演武披露などとある。早速電話をして体験を申し込むと二つ返事でOK。1人でもOKというから慣れている。ただし料金は日本人1万2000円。高くねえか？　イヤイヤ袴上下レンタルでマンツーマンで居合の手ほどきを受けた後、真剣で竹巻き藁の試し斬りをさせてくれるというのだから「超レア特殊体験」ではあるまいか。

ということで行ってきました日本橋三越近くの一等地。エレベーターの無い古いビルの4階に無外流普及協会を訪ねる。「たのもう！」と扉を叩くと「どうれ～」迎えるは袴上下雪駄姿でPCに向かう九州柳川藩出自の上津原象雲会長。実技の前にまずは学科とばかりに愚問珍問を願い出る。

「無外(むがい)流の無外とは何ぞや？」「知らぬ」「はて面妖な、普及協会が知らぬ存ぜぬとはこれいかに？」「所詮は禅問答から来た言葉。知らぬが仏じゃ」「無外流は居合の最大勢力なりや？」「非ず。最大は日本剣道連盟御用達の神伝流(しんでんりゅう)にて5万人。無外流は最大派閥の明思会で２４００人。ドイツのケルンで50人。総数1万人くらいではないか」「何故に会派が多いのか？」「分家だと思えばよい。弟子筋が独立し会派を名乗っておる」「道場数１００はまことか？」「主たる四つの会派は専用道場を持っておるが他は一般の公共施設を借りての運営じゃ」「おっとサークルですかいな。区民センターの」「今や各会派がＨＰを持ち独自の活動をしておる。お金のあるところはＨＰも充実し新規会員も増える。貧乏な所はＨＰも貧弱で活動も小規模なり」「ホームページの威力とは？」「無外流も以前は会員有志がＨＰを運営しておったが更新できずにいた。そこでウェブデザイナーに依頼してＨＰに金をかけた。毎日メンテナンスをしＷＥＢ広告もご覧の通りじゃ」「成程そうでござったか」

「然り。今や入門、体験希望者が急増しそのほとんどはＨＰからという有り様じゃ、フォッフォッフォッ！」

ということで学科を終了し、いざ5階の道場へ。持参はTシャツタオルだけ。袴上下も帯も刀も全て貸してくれ飲み物もペットボトル付きという気の配りよう。着付けまで象雲先生直々で恐縮この上ない。道場には左右どちらの足から入るとかの決まりがあり、入れば道場に神棚にと立ち礼から正座の礼まで作法がある。「今日は3カ月分の練習を90分でやってもらいます」とのこと。「新人の場合は1カ月に指導者が5人くらいつく。新人の練習日は日曜午前と月曜夕方。慣れてくると道場の開いている時間帯なら出入り自由で一人で何時間でも練習に打ち込める。週2回のペースで1年で初段が目安。が若く始めると転勤や引っ越し他の趣味で中断する人も多く定年退職者の方が長続きする」と学科はまだまだ続く。道場には3人ほど先客があり中に一人美人剣士の姿が。今日は朝からやっているとのこと。他の男性2名もそれぞれバラバラにやってきてのお一人様修行。心身の鍛練が目的だという。彼らの衣装刀はレンタルではない。帯・袴上下・肌襦袢・膝当てで2万円。居合刀が25万円から40万円、三〜四段以上になると練習でも真剣を使うのだがその値段は演武用で40万〜。巻き藁試し斬り用に15万〜20万。全て通販で買うという。

と、ここまで聞いてようやく実技となり刀を差す。これがいきなり本身、つまり真剣なんだよな。スッと緊張する。3重に巻いた帯の間に鞘をはさむその差し方からしてややこしく、抜いた本身を鞘にしまうその差し方が難しい。鞘にあてがっている指を切りそうで怖いのだ。

何度か抜き差しをし、次に前進しながらの素振り。剣道と違い踵を上げず踵を床に付けたまま前進後進する。素振りは両手で絞るというよりも遠心力と刀の重さを使って刀を遠くに投げ出す感じ。ビュッと刀身が風を切ればＯＫ。そしていよいよ居合の

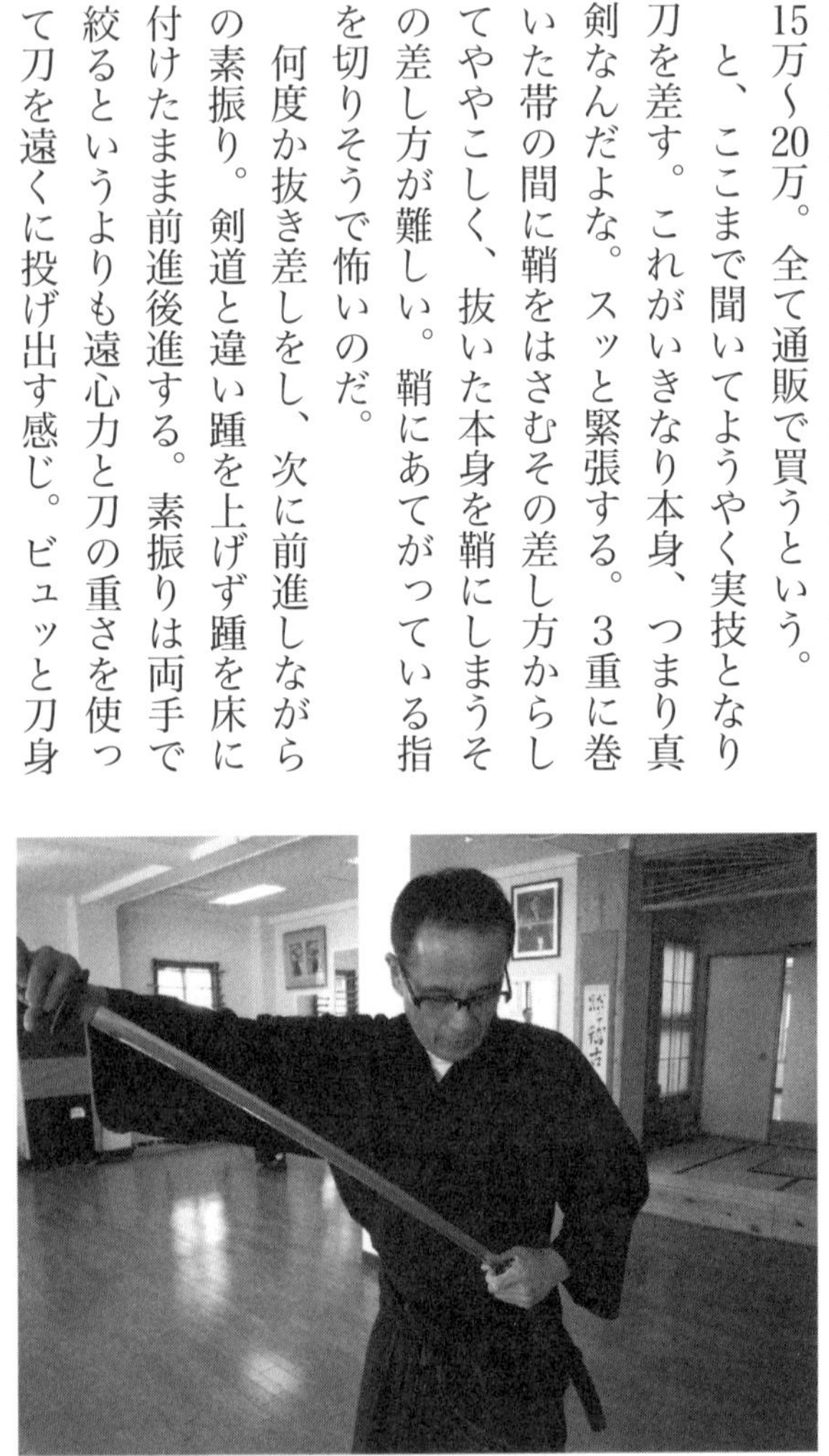

納刀が難しい

形に移る。正座し刀の置き場所、置き方を教わり再び腰に差す。しばし精神を統一する。敵が目前にいて斬りかかってくる設定だ。ここぞとばかり座ったまま右足を踏み出すや右手で刀を一気に抜きながら横払い相手の眉間に斬りつける。間髪をいれず両手で刀を振りかぶり面を一気に斬り下ろす。仕留めた。残心を効かせながら刀の血糊を振り払う。そして再び座りながら鞘に刀を納める。と、まあよく見る形なので見よう見真似で出来るけれど、2本目の逆袈裟斬り（向かって左斜め下から右斜め上に刀を斬り上げる）は難しい。刀を抜く時点で鞘を60度回転させて下向きにしないと刃が下向きに出てこないのだ。

指を切りそう

と一汗かいたところで休憩し、いよいよ試し斬り。これは皆さんご存じの竹を中心に周りを畳の藁で巻き付けたもの。実は藁は人体の肉で、芯の竹は首の骨だという。つまり人の首を切り落とすのと丁度同じ斬り具合なのだ。これを一太刀で斬り落とせば首切り浅右衛門。斬り落とせずに竹に食い込んだまま途中で終わると、相手が苦しむ事になる。ここで気をつける事はただ一つ。左足を前に出さない事。刀は右斜め上から左斜め下に袈裟斬りに斬り下すので勢い余って自分の左足を斬る恐れがあるのだ。

いつでもどうぞと象雲氏の声がかかる。剣士たち3人も見守っている。

ゆっくり呼吸を整えて竹藁棒に正対する。

試し切り成功

刀を振りかぶり、ゆっくり2度3度と素振りをくれて刃筋を確認する。そして青眼に構える。目の前の竹藁は信長の首だ。刀をゆっくりと振りかぶり、力を抜け、力を抜いてと心の中で呟いて後は無心。刀をゆっくりと竹藁の向こうに投げ出す。スパッと音がして何の抵抗も無く竹藁が斜めに切れていた。

一瞬の静寂の後、拍手が起こる。緊張が一気に解け荒い息遣いとともに笑顔がジワリと湧いてくる。「いいじゃないですか。素振りの時からいい音が出ていたんで大丈夫とは思っていたんですよ」とは象雲師の言葉。これが日本刀の威力か。ここで一句「日本橋で、信長の首、斬り落とす」あとは記念撮影と記念の賞状授与。「これで1万2000円は安いでしょ。外国人なんかお国に帰って写真と賞状を自分の部屋に飾って大喜びですよ」確かに。居合道普及のコツを心得ておる。皆さまもぜひ一度ご体験あれ。

一般社団法人無外流普及協会　https://mugairyu-fukyu-kyoukai.themedia.jp/

世界剣道選手権2015

オリンピックの種目に剣道はない。５年後の東京オリンピックには地元枠があるはずだが、剣道が推薦されたり、剣道の団体が猛プッシュをかけたという話はトンと聞かない。何故？　いったい剣道はやる気があるのか無いのか？　それに引き替え柔道は偉いよねえ。とっくにオリンピック種目だし、見た目もわかりやすい白と青の柔道着で試合を行い、ルールもどんどん改正されて観客の素人にも判定がわかりやすくなり、世界から愛されている。今やフランスの方が日本よりも柔道人口が多いらしいし、今更日本のお家芸と言うのが憚られるほど外国人選手の強さが際立つが、それもまた良し。どのスポーツでも発祥の国が強いとは限らないでしょ？　ということで柔道と剣道をワールドワイドに比べれば情けなや。剣道は柔道に逆立ちしても勝てやしない。昔は兄弟分だったはずなのにあわれ剣道ひとりぼっち。このままガラパゴス競技として衰退し、滅び去る運命なのだろうか？

「あら世界剣道選手権を知らないの？」おっと、そのお声は、薙刀の名手、武蔵野道場の師範代、千恵姫ではござらぬか。「1970年の第1回世界剣道選手権大会以来、3年に一度各国持ち回りの開催でござる」「これはご無礼つかまつった。当然日本が世界一？」「唯一負けたのが2006年の台湾大会。この時日本は準決勝でアメリカに敗れて3位。韓国が決勝でアメリカを破り初優勝した」「負けたの?! アメリカに?! すると強敵はアメリカ、韓国、そして……？」「台湾、イタリア、フランス、ハンガリーってところかしら」「参加国の数は？」「56カ国」「世界の剣道人口は？」「200万人。そのうち日本が100万人、韓国が40万人、他はイタリアが1600人だから推して知るべし」「じゃあオリンピックは近いかも？」「近くはないと思うけれど世界剣道選手権ならやってるわよ、今。しかも日本で！」

というわけで行ってきました「第16回世界剣道選手権大会」日本武道館。2015年5月29日㈮－31日㈰、入場料1F指定席¥3000。主催：国際剣道連盟。いざ初日の金曜日、男子個人戦を観戦しようと9時武道館の会場に着き早速¥1000の大会公式プログラムを入手する。しかしこのパンフ。選手名と写真はあるが年齢も何もなし。各国での戦績や剣道歴など知りたい情報が皆無。そもそも今回大会の見どころや注目選手の紹介もナシ。しかも初日なのに品切れで客に叱られていた。どうにも運営がなっていない。これじゃオリンピックどころではないだろう。試合が始まって更に驚いた。4面コートで同時進行するのだが、72のグループに分かれていて、まずはグループ内の3人総当たりで1人だけ決勝トーナメントに進出。つまり3試合×72グループで予選216試合が行われる計算だが予選の行われた3時間10分の間、場内アナウンスは一切なし。つまりどのコートで誰と誰が対戦しているのか全く分からないのだ。不親切だよね。世界剣道

世界剣道選手権大会開会式

を広報、普及させようとの熱意のかけらもない。困ったもんだ。

◆選手情報

後になって知ったのだが、各国の選手には日系人がとても多いらしい。アメリカやブラジルでは戦前から日系人社会で剣道が行われていたし海外駐在員や国際結婚の家庭でも親が母国の格闘技を子供に学ばせるケースが多いのだという。日本と韓国の出場選手はセミプロだが、他国は純然たるアマチュアで社会人。けれどもその熱意は半端なく、日本に留学して腕を磨く若者や、年に一度は日本の警察や大学と合同稽古を

観客席もグローバル化

するなど、日頃から日本剣道を学び親しむ努力を忘れない。

◆男子個人戦

準決勝になって、コートも2面となり、ようやく選手紹介のアナウンスが流れる。ベスト4に残ったのは日本選手3名韓国選手1名だった。それさえも分からずに見ていたのだから、やはり双眼鏡は必要か？（笑）。まずは全日本選手権個人優勝の竹ノ内佑也（筑波大4年21歳）VS西村英久（筑波大→熊本県警26歳）。先に西村が強烈な小手を決めたのだが、竹ノ内が引き面を連取して逆転勝ち。もう1試合の網代（あみしろ）忠勝（兵庫県警34歳）VS張漫憶（韓国）。観客は張が勝って、竹ノ内との日韓決勝対決を期待していたが、その雰囲気を察知したか？網代が意地を見せ22センチの身長差をものともせず、果敢に1本メンを飛び込み、これを見事に決めて張を撃破した。場内のどよめきは半端なかった。その余燼も冷めやらぬ決勝戦。竹ノ内VS網代戦は、これまでの緊張感が解けたかのような日本剣道の悪いクセが顔を出す。つまりお互い守りに入って打ち込まないのだ。間合いがあって無きが如く、お互い打たないまま近づいてつば競り合いなり、又離れまた近づいてつば競り合い。これじゃ世界のお手本にならないよね。落胆していたら、5分の制限時間寸前、竹ノ内が得意の引きメンを決めたかに思えたが審判の旗は動かず。ここでスイッチが入ったか、延長開始直後、竹ノ内がメンに動こうとしたその刹那、網代のコテが炸裂。勝負あり。これはねえ、世界のお手本となるような出小手でした。場内は大きな拍手に包まれた。

◆女子の戦績と男子団体戦（テレビ観戦）

翌日行われた女子個人戦は松本弥月（23歳法政大↓神奈川県警）が韓国の許倫瑛をメンで破って初優勝。女子団体は日本が韓国を3－0で下して優勝。

日曜日の男子団体戦。日本は予選リーグでカナダ、スウェーデン、ノルウェーを下して決勝トーナメントへ。ハワイ、ブラジルを下して準決勝のハンガリー戦へ。日本チームは選手全員がのびのびと戦っていて、試合開始早々から積極的に打って出て、まるで練習試合か地稽古のよう。その筆頭が先峰の竹ノ内。面白いように多彩な技を決めまくる。次鋒の勝見、中堅の正代もこれに続き注目は副将の安藤翔（24歳国士舘大→北海道警察）攻めながらドウを打った直後、飛び込みメンを決めるんだよ！　胴を打って体勢が全く崩れず胴から面の連続技を打つ選手なんて初めて見た。ビックリしたなあ、モウ。しかもその直後、もろ手突きで2本目を決めている。安藤恐るべし。この10年、日本は勝ってはいるものの実は薄氷の勝利で、いつ世界一の座から転落してもおかしくないと言う。けれども今大会を見る限り日本は強い。今後の日本剣道、いや世界剣道は安藤と竹ノ内がリードして新時代を築くのではないかとさえ予感させる。そしていよいよ韓国と因縁の決勝戦。というのも前回大会では韓国選手が判定を不服として試合が決着した後も蹲踞と礼を拒否して退場するなど波紋を呼んだのだ。しかし今回は礼儀正しく何の問題もない。その分覇気が薄れたのか、竹ノ内が勝ち、勝見が負け、正代がコテ2本を決めて2－1と盛り返した6時55分事件が発生！　我が家のテレビが突然消えて電源オフ！　全く見えなくなってしまったのだ（笑）娘に頼んだテレビ録画の予定時間が切れた影響らしい。焦りまくるが結局修復せず後になって副将大将が引き分け、2－1の勝利であった事を知る。やれやれ。

◆二刀流と上段

それにしても世界剣道選手権は面白い。選手が皆積極的に技を出し、審判も外国人は積極的に旗を揚げるので試合が膠着するという事がない。何より目を引いたのが二刀流の活躍。二刀流が4人、上段が6人も出る大会なんて、日本にはありゃしない。一体どこの国の何て名前の選手だろう？　一体誰が指導したのだろう？　しかも二刀流は4人とも上手いのだ。竹刀と短竹刀をうまく操って、攻撃も防御も多彩で倦むところがない。逆に多彩過ぎて、二刀流同士の対決はどの打撃も軽く見え、なかなか1本を取れないのもご愛嬌か。打ち過

上段対決

ぎて疲れたのかも(笑)。一方上段は攻めの構えのはずだが、攻めるより先に中段の側から攻められているケースが目立った。これは一体どういうことか？ 上段からの1本面が決まったケースは一度もなく、しかも撃ったその後が続かない。つまり上段は攻めが単調なのだ。対する中段に構えた選手はどうか？ 上段に対する試合に馴れているように思える。ということは、外国の同じチームに上段の選手がいるということだ。いないと練習ができないでしょ？ 上段や二刀流を複数擁する外国人チーム。これは魅力的だよね。日本ももっと二刀流や上段に力を入れれば、剣道人口が増えると思うけどなあ。

二刀流対決

◆上段の思い出

上段に関しては苦い思い出がある。私が中四国剣道大会個人戦で上段と対戦した時。それまで練習で一度も上段相手にやったことがなかった。4年生の先輩に一人上段の人がいたが、練習でも練習試合でも当たらなかった。何でだろう？　知識としては上段の相手の左小手を狙う。牽制の突きを突く。しかしこの突きだが、私は練習でも試合でも一度もやったことがない。突きって簡単に言うけど、突かれたら当たっても外れても痛いんだよ。マトモに当たればギックリ首になりそうだし、ほとんどが外れるのだがすると竹刀の先は喉とその周辺に直接当たるので、これまた痛さと息が出来ない衝撃で悶絶寸前。つまり練習しようにも、喜んで受け台になってくれる人は無く、無理にやればケンカになってしまう（笑）。もっともそれは弱小校の悩みであって九州の強豪高校などでは毎日突きの練習を取り入れているらしい。結局試合はどうなったか？　わたしはやったこともない突きを突いて出て、これを外され、強烈な諸手面を打ち下ろされて決められた。もしこれに勝てばベスト8で全日本学生剣道選手権大会出場、夢の日本武道館の試合場に立てたはずなのだが空しく敗退。青春の苦い思い出でござる。

実は世界剣道選手権で東京が開催地になるのは何と1970年の第1回大会以来だという。そこで異変が起こった。理由は日本武道館。つまり世界各地で剣道の練習に励むものにとって、剣道の聖地、日本の武道館で試合をすることは夢なのだ。だから今回アメリカを始め各国のベテラン勢がコーチや監督から現役復帰して出場するケースが目立ったという。剣道選手として最後の晴れ舞台を日本武道館で飾りたいというその気持ち。私にはわかるなあ。そうだ、マラソンなんか走っている場合じゃない。さあ、今すぐ木刀を引っ張り出して素振りをしなくっちゃ。都内の剣道場をネット検索して、40年ぶりに剣道の練習を再開しよう！　夢は世界剣道選手権、最年長出場でござる!!(笑)

◆参考文献
『剣道世界一への戦い』（セレクトムック）スキージャーナル社刊　2015

剣道四段への道

マラソンブームが曲がり角だという。２００７年第1回東京マラソンをきっかけに爆発したマラソン熱が２０１３年をピークに年々下り坂。レースは増えても参加者は減少傾向だとか。さもありなん、何を隠そうこの私、２００８年夏にジョギングを始め、２００９年マラソンデビュー。フルマラソン9回全てを完走し、２０１６年2月青梅30キロを最後に引退した。その理由は？　飽きたとか、目標の4時間切りが達成できないとかいろいろあるが、一番の理由は体力の衰え。去年出来た30キロ練習が今年はもう走れない。ここらが潮時かと思う心の内にすでに「剣道」の2文字が宿っていたのは何故だろう？　昔鍛えた剣道ならばまだ出来るんじゃなかろうか？　と閃いたのだ。２０１５年夏、世界剣道選手権をナマで見たのが焼けぼっくいに火かもしれない。ふつふつと剣道への恋慕が燃え盛り、しかしネックは防具代。今一体いくらするのだろう？　面小手胴垂れがセットで10万くらい？　それだけじゃ済まない、袴に胴着、竹刀、竹刀袋、防具袋、手拭いに至るまでけっこう物入りなのだ。ところが案ずるよりネット検索するが易し、全て込みの14点、リバイバル（復活）剣道セットが何と6万5000円で大宣伝！　そうと決まれば後は場所探し。一体道場はどこにあるのだろう？　調べると剣道は町道場に通う方法ともう一つ、地元の剣道クラブに入り、小学校の体育館でやる方法。ふーむ、そうとわかればまずは中野区練馬区の三つの道場を速攻見学申し込み。次の週は自宅最短距離の小学校剣道クラブ二つを視察して全体像をつかむ。費用は道場が週3日の稽古で入会金1万、月謝3000円が相場。剣道クラブは週2回稽古で入会金1000円、年会費1万円とリーズナブル。さあどっちだ、どっちだ？「1000円の剣道クラブに決まってるでしょ！」おっとそのお声はパリ帰り、その存在自体がベルサイユのバラバラ事件と呼ばれるヘンシューチョーではあーりませんか？　絶対服従の私は速攻剣道クラブに入会申し込みしたのでした。

◆二つの剣道クラブ

さて稽古日だが水木金ＯＫの私は所属のＡクラブで金曜日。連携するＢクラブで水曜日と週２回の稽古日を確保する。Ａクラブは会長の40代五段を筆頭に初段〜五段計10人の大人。別途七段の先生に指導を仰いでいる。一方Ｂクラブは小学生10人に中学生６人を四段と三段の女性が指導。傘寿で六段を取った会長は不在だったが師範に90歳現役バリバリの七段がいる。

◆ふくらはぎ肉離れ

２０１５年12月中旬に防具が届き早速初稽古。困ったのは面金が邪魔して相手がよく見えない

東京武道館

事。面金のどの隙間から見るんだったっけ？　相手の竹刀の先もよく見えないので間合い（距離感）が全然掴めない。っていうか相手の面が果てしなく遠い。面が当たる気がしない。それでも気合が大事「おりゃ〜！」と掛け声をかけるとあとは全力で打ち込むしかない。初日左足裏血豆。右足踵痛。マツキヨで血豆吸収大型バンドエイドで治療し翌週水曜日に事件は起きた。レジェンド相手の初稽古。驚いたのはこちらが先に面を打ち込んでいるのに相手はその瞬間竹刀を振りかぶり面を打ち、これがガツンと私の脳天に響く。どうやら「斬り落し」という一刀流の極意らしい。こちらが面を打とうが小手を打とうがお構いなしに斬り落しが炸裂する。90歳恐るべし。とぶったまげている内に左足が攣った気がした。帰り道は足を引きずる状態。アイシングして湿布を貼って一晩寝れば治るだろうと思いきや、翌日整骨院に行ったらあっさりと「これは肉離れですね」。

◆公園稽古

ふくらはぎの痛みは10日ほどで引いたのだが治ったと思って稽古をするとシコリ

や痛みがブリ返し、週2回のはずの稽古も、月2～3回がいいところ。なので春から公園で「その場打ち」の稽古をすることにした。素振りではなく実際に「モノを撃つ」感覚が大事。１００均で風呂マットを買い求め、カッターで切ってビニテで木の枝に括り付ける。竹刀がすっぽり入る竹刀カバーを買い求め消音&打突衝撃吸収で枝を撃つ。木の幹にも左右大きめのマットを紐で括り付け、左右面と左右胴。長方形のマットにマジックで突き垂れの形を書き、これまた木の幹に結わえて突きの練習。工作も楽しいけれど、実際モノを撃つ「チャンバラ」は殊の外楽しい稽古でござった。

◆試合に出場！

「ふくらはぎは半年かかる」の言葉通り、まだ治り切らない6月に中野区の剣道大会団体戦に出場。柄にもなく上がってしまって、間合いが全然掴めない。30歳くらいの四段相手にメンを2本取られる。途中で中結がほどけて竹刀を取り換えるなど、ぶざまな試合であった。そしてふくらはぎも完治した秋9月。今度は中野区の個人戦。私は50歳以上の部に出場する。1回戦、四段相手に延長戦の末、小手抜き面を決めて初勝利！　ただの勝ちではない。45年ぶりの勝利なのだ。めっちゃ嬉しい。2回戦の相手は昨年の優勝者五段。果敢に攻めて攻めて延長戦。最後は力尽きメンに仕留められる。しょんぼり引き揚げたら観戦していた仲間たちから大拍手で迎えられる。「よくやった」「安藤さんの持ち味を十二分に発揮したいい試合だった」と褒められる。チョー嬉しい！

◆剣道の段位って

「カーキーの剣道三段ってどのくらい強いの？」と、ヘンシューチョーが疑いの目を向ける。「初段から三段までは剣道の初心者と言われている」「何だ、ダメじゃん」「だから四段欲しいんだよね。四段五段が中級者。六段以上が上級者」「最上級は十段？」「いや、八段。各県で5人といない」「メッチャ少なくない？」「そう、八段は例えて言えば剣道界の無形文化財。更に上の範士八段は人間国宝みたいなもの」「その人が一番強いの？」「いや、強いのはやっぱ全日本剣道選手権の優勝者でしょ」「それは八段?」「平均年齢が29歳だから五段が多い」「じゃあ五段が八段よりも強いって事にならない?」「スポーツとしてのピークは29歳だけどそれから後も剣道には昇段審査という楽しみが残されているって事かなあ」「審査って何するの?」「稽古の様子を見て決める」「その基準は?」「まず着装を見る。袴や胴着が正しく着られているか、面紐の長さは40センチで揃えてあるか、頭に巻いた手拭いの端は面からはみ出ていないか?」「子どもじゃあるまいに」「実はビックリした。昔はそんなにうるさくなかった。剣道界から遠く離れて今や浦島太郎の心もち」「武士の嗜(たしな)みって事かしら?」「そう。今や昇段審査は〈正しい剣道発表会〉」

◆昇段審査前夜

今年2月に入ると私の心は剣道一色。学科問題の解答を早めに作成し、木刀による日本剣道形は夜の公園でA会の会長に熱血指導を受けるなどまるでスポ根青春ドラマ状態。さあ、ここまでやったらもう思い残す事は無い!　と思っていたら最後の稽古で「面紐が長い」と指摘され、審査前日だというのに夜中のリビング。面紐の長さをメジャーで計り、ハサミでチョン切っている私であった。

◆審査当日

北区・綾瀬の東京武道館9時開門前に四・五段合わせてざっと1000人近くの受審者たち。入場してまずはボードに張り出された時間割と組み合わせの中に自分の名前を探す。どうやら年の若い順に審査が進み、我々は12時20分受付とある。そこで11時にストレッチを始め、その後着替え、隣建物の第2武道場に行き、練習相手を探す。気前よく引き受けてくれた見ず知らずの人と切り返しから基本の面打ち小手面打ちなどで体をほぐし、最後に軽く立ち合いをお願いする。つ、強い。この人、四段ではなく五段受審者ではなかろうか？

◆審査直前

さて午前の審査が長引いて昼食後の13時に変更された受付で垂れに貼るシールを

貰う。435番が私の受審番号。やがて数字の若い人から面を付けていざ立ち合いが始まる。見ていると午前中の若者たちとは動きが全く違う。そりゃあ20歳と50歳以上を比べるのは酷だが、しかし同じ三段とはとても思えないレベル。我々のクラスで四段に受かる人なんているのだろうか？

◆いざ審査

ようやく順番がめぐり私の立ち合いが始まる。冷静なようで上がっていたのか、いつもは右足から3歩進んで蹲踞（そんきょ）するところを左足から4歩となってしまう。左手の審査員の目が一瞬光ったような気配がした。いざ立ち合い。「お

審査風景（左半分の6会場で同時進行）

りゃー」と声を上げて気勢を高める。間合いを探るが相手が打ってこないのでこちらから行くぞ！　2～3度打ちあうがお互い決まらず、それではと咄嗟に打ったドウも決まらず気が付くと竹刀が手から離れていた。床に落ちていた。万事休す！　頭真っ白。「落ち着け、落ち着け」と心の中で自分に言い聞かす。「待て」の号令がかかり何食わぬ顔で竹刀を拾い開始線に戻って仕切り直し。気合を入れ直し攻めるがお互い決め手無く1分が終了。2人目は小柄な女性剣士。内心やりにくいが、体もほぐれてきたのでどんどんメンで攻める。すると体当たりしたわけでもないのに勢いで体が当たり相手が尻餅をつく。謝って元の開始線。再び渾身のメンを決めたところで1分が終わる。これで審査終了。落選を覚悟して2階観

渾身のメン

客席の剣道仲間の元へ。「竹刀落っことしちゃった、トホホ」「いやあ、ずっと攻めてたし受かるんじゃないの？」との慰めの言葉が有難い。そして結婚式のスピーチの言葉が頭をよぎる。「人生には三つの坂がある。〈登り坂〉〈下り坂〉そして〈まさか！〉」

◆追記

後日剣道仲間が撮ってくれたビデオを見て驚いた。何と落ち着きのない剣道だろう！　始終前後に無駄に動いて拍子をとっている。まるで中高生二段の剣道、とても大人の剣道とは思えない。そして3月、学校行事で稽古日ゼロの剣道クラブとは別に、急遽K道場に入門した私は館長の八段に

竹刀を落とす

ビデオを見てもらった。

⑴白袴は良くない。紺が良い。⑵立礼の後左足から歩んでいるのはダメ（ビデオのロングショットを見てちゃんとわかるんだ！　八段恐るべし！）。⑶立ち合って細かく動き過ぎ。もっとどっしり構える。⑷打つのは15秒に1度くらいで良い。⑸無駄な胴打ちがある。ほら、ここ。無駄打ちはしない事。⑹メンを打った後、振り返りながら下がっているのは良くない。間合いの先まですり抜けてから振り返り一足一刀に構える。⑺竹刀を落としたのが原因で審査に落ちたのではない。竹刀を落とした時は拾い方がある。落とした側の膝を床につけて拾えば問題ない。

ありがとうございます！　と私は正座し無形文化財に頭を下げる。原因が分かれば対策はおのずと見えてくる。剣道四段への道にますます燃える安藤カーキー66歳の春であった。

第六試合

天皇と沖縄

⑬平成天皇論（2019）
⑭沖縄VS大和（2019）

平成天皇論

安藤家は今や家督断絶の危機にある。戦国時代の始祖、美濃の安藤伊賀守範俊から数えて14代というのは本家筋「安藤道啓堂」の話、我が家は9代目で分家した「安藤前屋敷」から更に祖父此八の代に分家した「安藤西屋敷」。その3代目当主が私である。が、しかし我ら3人兄弟のうち、姉は他家に嫁ぎ、私の子は娘が2人。弟の子も娘3人。なので継承すべき男子がいないのだ。由々しき事態だが、家系を重んじていた筈の父の口からはついぞ、養子を取れとの声は聞かれなかった。だってさあ、ぶっちゃけ、相続すべき家督が無いんだもの。これといった土地もなければ財産も無い。家系断絶しても実は誰も困らない。それにひきかえ、天皇家は大変だね。125代平成天皇から徳仁皇太子に継承されたまではよかったが、その後が危うい。皇嗣と呼ばれる次期天皇の秋篠宮は徳仁の弟。つまり皇位継承順位で行けば①皇長子②皇長孫と続くラス前の⑥番目「皇兄弟及びその子孫」にあたる。⑥番目だよ⑥番目。やりたくないだろうな、秋篠宮。本人もそう言っている。けれどもそれは許されない。皇族に基本的人権はないのだ。天皇を名指しされたら、これを断る自由は無い。職業選択はおろか、戸籍さえなく、選挙権や思想信条の自由もありはしない。

「日本だけじゃなくてよ。世界中、皇族なんてそんなものじゃないかしら」おっとそのお声は〈武蔵野のダイアナ〉と呼ばれたヘンシューチョーではあーりませんか。「ところで今、世界に王室はいくつあるか知ってる?」「10くらい?」「ブー、28」「そんなにたくさん?」「いえいえ、第1次大戦前まではフランスを除いてヨーロッパのほとんどの国が君主制だった」

東京国立博物館

「第1次大戦って……」「大戦中、1917年のロシア革命が大きかった。ロシアのニコライ2世とその家族が全員銃殺刑となった」「共産主義が王朝を駆逐したと？」「それだけではない、二つの世界大戦は国民総動員の総力戦。それまでの王侯貴族中心の戦いとは180度変わってしまった」「だから？」「徴兵制などの国民負担は、それに見合う国民の選挙権に繋がり、それに伴う議会制民主主義の発達で王様が居場所を失った」「ほんまかいな？」「ただし例外もあって、第1次世界大戦のアラビア地方はロレンスの活躍もあり戦後イラクやサウジアラビアに新たな王国が誕生した」「ピーター・オトゥール大活躍ですね」「逆に二つの大戦で敗れた国の中で君主制が残ったのは日本だけ」「ラッキーでしたね」「そうでもないかな？　戦後間もない1952年、イギリスで、エリザベス二世の戴冠式が行われた」「あのエリザベス女王？　93歳の？」「当時は若くて美人の25歳でした！」「日本からも出席したんですか、天皇が？」「馬鹿おっしゃい、行けるわけないでしょ」「そうか！　鬼畜米英。その英国に戦争で負けたばかりだったんだ」「皇太子明仁18歳が代理で参列した」「やっぱ、皇族同士義理を欠いちゃあいけません」「エリザベスの父、ジョージ六世の戴冠式では日本の天皇名代、秩父宮殿下が主賓だったのにねえ」「でしょ？

やっぱ万世一系！　世界でも一目置かれていたんだ」「ところがあっという間の掌返し。敗戦国日本の皇太子がのこのこ出てきてもケンモホロロ、その他大勢扱いだったそうな」「明仁の胸中や如何に？」「それを知りたければ行ってらっしゃい、〈御即位30年記念・両陛下と文化交流〉」

という事でやって来ました「両陛下と文化交流～日本美を伝える～」東京国立博物館、２０１９年3月5日～4月29日、入場料１１００円・主催東京国立博物館、宮内庁、文化庁、読売新聞社。

しかしねえ、小さな部屋に展示されていた物は数えるほど。まず屏風図2枚。これは明仁の天皇陛下ご即位の儀式、平成2（１９９０）年大嘗祭の際に使われた儀式用屏風で、大分県の四季風俗が描かれたもの。亀の甲の占いで、多分大分県が選ばれたのだろう。描いたのは皇室御用達画家の東山魁夷と高山辰雄。外国訪問関連は6点ほど。「小栗判官絵巻」全長３２４メートルの大作15巻のうち2巻を展示。これは平成10（１９９８）年英国、平成17（２００５）年ノルウェーご訪問の際、持参して展示紹介したもの。他には美智子妃が着用したイヴニングドレス。佐賀錦によるマーガレットと百合の文様が配され、平成10（1998）年デンマーク、平成12（2000）年スウェーデンご訪問の際着用したとある。えっ？　もう終わり？　ほんの10分もあれば全て見終わるこの展示会。一体何の意味があるのだろう？　明仁の無念はどこにある？

◆明仁の青春

昭和8年生まれの皇太子明仁は、3歳で母の元を離され、家族愛を知らずに育った。と、学友の橋本明は語る。非人間的な家庭環境を強いられた皇太子は青春期どうしようもなく情緒不安定で、暗い性格だったと言う。「家庭を持つまでは死ねない」とまで結婚願望が強かったが、皇太子妃選考では、候補に挙がった旧宮家、有爵家が皇太子の性格に恐れをなして逃げまどい、慌てて婚約などの既定事実をでっちあげていた。この時期、同学年の間で皇太子ほど陰々滅々とした男は他に見当たらなかったという。正田美智子さんとの出会いがこうした皇太子を根底から変えた。そして念願の家庭を持つと、3人の子どもを手元から放さず美智子妃と共に教育した。それは宮中の伝統に反する、革命でもあった。

◆昭和20年敗戦

話は小学生に戻る。学習院初等科5年生の時、皇太子は日光に集団疎開した。同じ屋根の下で一般学生と起居を共にし、同じ釜の飯を食った。そして20年8月15日。ラジオで父の声を聴いた。同年11月、ようやく疎開先から帰京し、東京の焼野原を見、そして1年6カ月ぶりに両陛下と再会した。

◆ヴァイニング夫人

昭和21年、武蔵小金井の学習院仮校舎で、ヴァイニング夫人の厳しい英語授業が始まった。夫人は学生の一人ひとりに自立を求めた。自ら考え判断し、そして行動に移すのが市民の基本姿勢だと教えた。

◆天皇退位論

昭和23年夏、橋本ら3人は沼津の御用邸に招かれて1週間、明仁親王と起居を共にした。この夏は「天皇退位説」が流布していた。木戸内府（皇族）が、極東裁判で死刑となった場合、天皇は退位すべきという説であり、そうすると14歳の明仁親王が即位する事になる。ライフ紙が小金井までやって来て明仁の写真を撮って行った。裁判の結果は、東條英機ら7人が絞首刑、木戸は終身刑となり死刑を免れ、天皇退位論も消えていった。

◆『チャタレイ夫人の恋人』事件

昭和25年、伊藤整訳『チャタレイ夫人の恋人』が刊行され、まもなく発禁処分になった。が、橋本らは完訳本を密かに入手しグループで回し読みをした。皇太子は7月1日に借り受け3日に返却している。話はそこで終わらない。後日、葉山の御用邸で皇太子と遊んでいた橋本に父から呼び出しがかかる。というのもこの父は隣席の裁判官にこう言われたのだ。「君の息子は悪い奴だぞ。チャタレイを皇太子に読ませたって話だ」橋本の父は実は最高裁判所の検事で、チャタレイを発禁にした張本人だったのだ。「社会に害毒があると信じればこそ発禁にしたのに、おまえは一体何てことをしてくれたのだ」と父は息子に4時間にわたって説教した。その一部始終を橋本から聞いた東宮は何故か目を煌めかせてこう言った。「父子とはそういうものなのか……」

◆ローマの休日

昭和27年、学習院高等科3年の夜、橋本たちと皇太子は学習院寄宿舎清明寮を抜け出し、銀座で遊んだ。大慌ての侍従たちは、しかし警視庁に連絡し、それと気づかれぬ尾行の形で3人の銀ブラを見守ったという。銀座版「ローマの休日」であった。

◆成年式と初の外遊

昭和27年。皇太子は、成年式（18歳）と立太子の礼を挙げた。そして翌28年3月。英女王エリザベス2世の戴冠式出席のため横浜港を出発する。そして10月帰朝されるまでの8カ月。米国、カナダ、フランス、スペイン、モナコ、イタリア、ベルギー、オランダ、西ドイツ、デンマーク、ノルウェー、スウェーデンと回った。初めての外遊であった。

◆皇室の革命家・明仁

皇太子明仁の話が長くなり過ぎただろうか？　しかしこの人こそは、まぎれもなく皇室の革命家である。皇室で初めて民間人を嫁にもらい、その家庭生活は皇室の前例をことごとく破ってマイホームパパに徹し、一方天皇在位の30年間、真摯に「象徴」としての天皇像を模索し、国民の共感を呼ぶ「天皇像」を確立してみせた。その挙句、ビデオメッセージの「お言葉」をもって、これまた前例のない「生前退位」を断行し、静かに去って行った。見事と言うほかはない。

◆象徴としての世界王室

戦後、日本国憲法に記された「象徴」という言葉は、何を意味するのか？　明仁の最も苦慮したところであろうが、実は世界の王室は、多かれ少なかれこの「象徴」という性格を具現化している。君主制と議会制民主主義という一見相反する二つの制度を共存させている国が28もある不思議。それは王室が「象徴的役割」に徹しているからだとも言える。つまり実務は議会に任せつつも、皇室というオブラートにくるんだ権威がこれを承認することで、国民に安心感をもたらす。そして明仁が最も痛感していた事。それは「国民の支持なくしては、皇室の存在基盤は脆い」例えばダイアナ妃が不慮の事故で亡くなった時。エリザベス女王はこれを無視し、哀悼しようとしなかった。しかしそれはイギリス国民の猛バッシングを浴び、女王は態度を一変、王室総出で喪に服したが、それでも王室の支持率は容易に回復しなかった。事ほど左様に王室と国民の関係はシビアなのだ。

◆日本王室の今後

そして皇室は徳仁天皇&雅子妃の時代となった。革命家の息子で59歳とあらば大きな舵取りは難しいかもしれない。しかし44歳の平成16年にはいわゆる「人格否定発言」をして、骨のあるところを見せた彼の事だ。何かやってくれるに違いない。55歳の雅子妃も然り。皇后となって上の重しが取れた分、のびのびと振る舞えるのではないか？　今後は国内だけでなく、世界の王室で「象徴」連合体を形成して欲しい。シンポジウムのテーマは「皇族の人権問題」だったりして。それより、お世継ぎ女帝問題はどうしたって？　知らんがな。いざとなったら世界の皇族間で養子縁組でもしたらよろし。第一、家督を潰した私が言える柄じゃなし。ケ・セラ・セラ。

◆参考文献

『現代世界の陛下たち』水島治郎・君塚直隆編著　ミネルヴァ書房　2018
『知られざる天皇明仁』橋本明　講談社　2016
『Q&Aでわかる「天皇」と「皇室」』大角修編著　三笠書房　2018

沖縄VS大和

ローラは言った。「沖縄のキレイな海を汚さないで」沖縄のサンゴ礁やジュゴンの生息する美しい海を守ろうよ。何ともけな気で純粋な気持ちじゃないの。ああ、それなのに「おばかタレント風情が政治発言をするんじゃない！」なんて声荒らげているのは誰？　政治発言？　そうか、辺野古の海の事だったんだね。しかもアメリカのホワイトハウスに抗議署名投票を呼び掛けるというもの。おやまあ、あのローラが過激派に大変身?!　ネット検索すると発起人は別にいて、ハワイ在住の日系沖縄4世のミュージシャン（32歳♂）何でもホワイトハウスには直訴状制度があって、直訴署名が10万件（10万筆と呼ぶらしい）を越えるとちゃんと反応して何らかの意見表明する制度があるのだという。そこでこのミュージシャンが12月8日、辺野古埋立て反対直訴箱（翌2019年2月の県民投票まで土砂投入を中止するお願い）を設置してネット投票を呼び掛けた、とこういう流れらしい。にもかかわらず12月14日には予定通り辺野古土砂投入は開始され、それでもローラがインスタをアップした18日には丁度10万筆到達！　ローラファンの私は締切前日の1月6日にネット署名。その甲斐あってか1月8日には20万筆を突破したという。快挙だね。果たして快挙なのか？　強きを助け弱きをくじく平成日本の国民性に逆行してないか？　12月18日発表世論調査によると、埋め立て賛成26％、反対60％だという。雰囲気的には逆のような気がするけどなあ。これって左翼の朝日新聞調査だから？

「きっと後ろめたいんでしょ、ヤマトンチュ（大和人・日本本土の人）」おっとそのお声は柔整界のアパート・ローラ作戦と呼ばれたヘン

署名20万筆突破

シューチョーではあーりませんか。「私もウチナーンチュ〈沖縄人〉ではないけれど」「確か北海道のアイヌ民族……」「違います！」「で、その後ろめたい気持ちの原因は、やっぱ〈ひめゆりの塔〉？」「それもあるけど」「やっぱ基地を押し付けているから？」「それよりもっと歴史的な事。一番肝心な事を大和人はずっと隠して来た」「大事な話なんですね」「それは１９４７年の〈沖縄メッセージ〉」「敗戦後2年ですね」「沖縄はこれまで通り差し上げます。今後とも米軍による沖縄の軍事占領をどうぞ続けて下さいとお願いした」「そんな大変な事を一体誰が？」「天皇陛下」「まさか?!」「と思うでしょ。１９７９年にアメリカで発見された公文書で明らかになった」「あの天皇が、〈沖縄を人身御供としてアメリカに差し出した〉って事？」「それだけじゃないわよ。１９５０年のダレスメッセージでは、〈日本側からの自発的な申し出による日本全土の米軍駐留〉を希望した」「マジで？」「だから今でも〈大和人からの自主的な申し出による辺野古新基地建設を希望〉し実行している」「それは戦争に負けたから？」「いいえ、共産主義が怖かったから」「えっ？　今何て言いました？」

◆天皇と国民の共犯関係

「整理するとまず敗戦でしょ？　天皇は敗戦国の責任者だから当然東京裁判で絞首刑になるところをアメリカの占領政策の都合上延命した」「そこまでは皆知っている」「その時天皇自らが考案し、マッカーサーに提出したレポートまでは知らないでしょう？」「一体どんな？」「そもそも日本は明治憲法の昔から〈万機公論に決すべし〉民主主義の国であった」「いきなりシュールですね」「しかし軍部の暴走により間違った道を進んでしまった。だが敗戦によりもとの民主主義に戻る事を天皇も国民も喜んでいる」「悪いのは全部軍部だと？」「そう、天皇も国民にも戦争責任はないと」「ちょっと厚かましくないですか？」「でも日本国民〈大和人〉は大喜びでこの論理に乗っかっちゃった」「ちょっと待って。だって日本国民は戦争中は天皇陛下万歳！　非国民は許さない！　パーマネントはやめましょう！　世界地図のアジア各国を赤く塗りつぶしながら皇国日本、大勝利！　って大喜びしていたはずでしょ？」「天皇陛下のお言葉以来、悪いのは全て陸軍海軍。私たちは被害者だと言いだした」「日本の戦争映画って確かにすべてそのパターンですね」「ヒトラーを熱狂的に支持したドイツ国民と、天皇を熱狂的に支持した日本国民、実は同類なのにね」「そして1950年に一体何があったんですか」「朝鮮戦争勃発」「朝鮮戦争と天皇にどういう関係が？」「当時の共産主義勢力の破壊力は凄まじくソ連では皇室のニコライ2世もその家族も皆殺しにされた」「確か朝鮮戦争は最初共産党勢力が優勢で連合軍は釜山まで追いつめられた」「負ければ日本も進攻され天皇とその家族も当然皆殺しにされる」「そうならないように、米軍に縋る思いだったと、こういうわけですね？」「それは当時の昭和天皇の究極の選択」「沖縄を売り米軍基地を招致した事はいわば天皇家の原罪」「だから息子の平成の天皇があんなにも頻繁に贖罪の沖縄行脚を続けている」「じゃあ、大和人の原罪は？　贖罪は？」「一切なし！だって戦争責任も感じてないし、反省もなし。自分たちが被害者だと信じ込んでいるのだから」

◆戦争責任って？

しかしなんだねえ、ぶっちゃけ「戦争責任」って一体何よ？　早い話が「負けた方が100%悪い」って事？　負けた国は全てを失い、勝った国の言いなりになるしかない。だってドイツを見てご覧。この70年間ありとあらゆる第2次大戦映画が作られてきたけれど、全てドイツとヒトラーが悪者。こんなものを毎年毎年見せられるドイツ人の気持ちって考えた事ある？　ドイツ人はこの屈辱にずっと耐え続けて来たのだね。それだけではない、戦後賠償金をヨーロッパ各国に延々と支払い続けてきた。国家間賠償金だけでなく、民事訴訟されたユダヤ人団体に対しても、今現在もなお訴訟されるたびに文句ひとつ言わず払い続けている。日本とは大違い。更に言えばドイツは事ある毎に、「過去の過ちを認め、お詫びするとともに、これからも過ちを犯さないように努める」ことを宣言し直したりしている。まるでマゾヒスト状態だが、これまた謝るのは一度で充分とゴネる日本とは好対照をなす。そう言えばドイツでは憲法で「国民投票を禁じている」って知ってた？　あのヒトラー熱狂支持を恥じて、国民全てが賛成し熱狂する事にはロクな事がないと、自分達自身をまるで信じていないのだ。

◆難民対策

難民対策だってそう。ドイツはこの5年間で150万人もの難民を受け入れているが、その根底には人種民族問題、ユダヤ人迫害のトラウマがあり、ありとあらゆる民族を受け入れる姿勢を示さなくてはヨーロッパで生きてゆけないのだ。一方日本はこの30年間で688人！困っちゃうよねえ、どう解釈すればいいの？この数字。シリアからは遠く、本物の難民が来ないとか、難民認定の窓口が法務局入国管理事務所なので、不審者を決して入国させてならじの思いが強く、人道的見地に欠けるとか、実際問題、就業目的のニセ難民申請者がほとんどだとか、いろいろ理由はあるだろうが、決め手は

辺野古署名

やはり朝日新聞社の読者アンケート。難民受け入れに賛成24％、反対65％がその答え。左翼の読者でさえこれなのだ。島国根性と笑わば笑え、外国人との交流や受け入れ、定住に、いつまでたっても抵抗感があるのだ。

◆共産主義のその後

昭和天皇があれほどにも恐れた共産主義は、その後どうなったのか？　ソビエト連邦は原子爆弾こそアメリカに後れを取ったものの水爆開発で追いつき、宇宙競争ではアメリカを追い抜き「地球は青かった」。共産革命は世界を席巻しスターリンを星と崇める毛沢東が中華人民共和国を建国、敗戦国ドイツは東西に分割され東ドイツが共産圏となり「ベルリンの壁」が築かれた。朝鮮もまた南北に分裂したがこの朝鮮動乱で共産主義に対するアレルギーが日本に蔓延。日本への共産主義の影響は意外に少なく、１９６０年代～70年の学生運動が多くの「心情左翼」を生んだもののの１９７２年2月の〈あさま山荘事件〉で空中分解。その印象が強烈でこの年5月、沖縄がアメリカ植民地から日本国に「沖縄返還」された事を記憶する人は少ない。しかし世界の共産主義はその後急激に失速し１９８９年ベルリンの壁が崩壊し、１９９１年ソビエト連邦が解体し共産主義が終焉、資本主義に決定的に敗北した。中国はその後も共産党一党独裁だが飢える猫よりも儲けるネズミを選びアメリカ以上の資本主義で経済成功し、今や誰もこの国を「共産」主義とは呼ばないだろう。日本もその後当然左翼離れを加速させ、若者の間では左翼を嘲笑する気風さえ生まれた。それでも２００９〜２０１２年にかけては「民主党政権」が誕生したものの結果は恥の上塗り、左翼の〈政策実現能力の無さ〉が露呈し、ついに左翼は壊滅状態となった。必然的に「人権」や「沖縄問題」など左翼が好みそうな言葉は忌み嫌われるようになり、それに勢いを得た大和の右翼勢力は嫌韓、嫌中にとどまらず沖縄にもその矛先を向け、さまざまな噂を流す事となった。

◆沖縄の基地の間違ったうわさ

①沖縄の経済は基地で成り立っている。②沖縄は基地の見返りにたくさんの補助金を貰っている。③米軍がいなくなったら基地で働く人が困るでしょう？　④沖縄

に米軍がいないと中国や北朝鮮が攻めて来る。⑤米兵の犯罪は大げさに報道されているだけ。⑥沖縄の基地反対運動には日当が支給される。⑦辺野古埋立て反対派は本土のプロ市民。⑧地元住民は基地賛成だから運動に迷惑している。

◆沖縄の基地の望ましい噂

それではいっそ沖縄に世界の難民を集めたらどうだろう？　大和の入国管理事務所ではなく、認定受け入れの難民センターを沖縄県条例で設置する。受け入れ目安としては10年がかりで１００万人。一つの大都市を作る事になるが、場所は？　勿論普天間飛行場跡地。その難民１００万人がどうやって生計を立てるのか？　企業誘致をする。中国企業、例えばファーウェイを誘致する。ファーウェイ規模を10社誘致して工業団地を作り、難民を従業員として雇用する。勿論１００万人全員雇用できるわけではないがそれが地域の核になる。経済基盤があれば最低限の生活は保障される。後は難民による起業、イノベーションも夢ではない。中国＆日本と対等に渡り合った琉球王朝の栄華とプライドを取り戻し、同時に難民を通じて世界の民族共存のハブとしてその存在を世界にアピールする。頑張れウチナーンチュ（沖縄人）！

◆参考文献

『沖縄問題――リアリズムの視点から』高良倉吉編著　中公新書　２０１７
『沖縄の基地の間違ったうわさ』佐藤学、屋良朝博編　岩波ブックレット　２０１７
『世界の難民をたすける30の方法』滝澤三郎編著　合同出版　２０１８
『日本はなぜ、「基地」と「原発」を止められないのか』矢部宏治　集英社インターナショナル　２０１４
『戦争責任・戦後責任　日本とドイツはどう違うか』朝日選書　１９９４

番外編

⑮接骨院をめぐる冒険（2020）

接骨院をめぐる冒険

仕事仲間が「腰を痛めた」と聞くと、治療院を勧めたいのだが「整骨院」と言っても通じないし「接骨院」と言えば余計わかんない。その治療院も実は電気もマッサージも気休めで、それより一番効くのは「鍼」だと言えば「痛いからいやだ」がほとんどで結局誰も行こうとしない。何で？　私自身は紅顔の美少年からの腰痛持ちなので鍼歴何と半世紀！　今も毎週腰に10本の鍼を打つヘビーユーザーである。しかしそのヘビーユーザーの弱点は引っ越し。5年前、引っ越し先で新しい治療院を探す必要に迫られた。なので駅周辺に今や必ず4～5軒ある接骨院を片っ端から体験することにした。えっ？　鍼を打つのに何で接骨院かって？　いえいえ今は鍼灸接骨院。鍼灸院が5000円のところ、鍼灸接骨院だと2000円前後で鍼が打てる。「ねえ、ねえ、その鍼灸接骨院、行ってみてどうだった？」

おっとそのお声は武蔵野の紅顔の美魔女と呼ばれたヘンシューチョーではありませんか！　「それはいいから、早くおっしゃい！　引っ越し先の治療院」「いやあひどいもんですよ。それではまずワースト3から」ここは50年配の男性一人の治療院。私がマラソン腰痛の悩みを問診に書くと、立ってみろ、O脚だ、姿勢が悪い、歩き方が悪いと文句のオンパレード。だからかといってO脚の治療をするわけでもなく、通常のマッサージ途中で電話がかかって来て、受付はいないので自分で出る。するとなんだか揉めていて「仕事中に電話をかけて来るなんて非常識だ」と怒鳴りつけているのだがどうやら相手はカードローン会社ではあるまいか？　ということでそこはやめて次にワースト2。やはり40年配男性一人の接骨院。行くと何も聞かずにいきなりアイシング20分。廊下の壁には「アイシング至上主義」の新聞記事切抜き。つまりアイシングの信奉者なんだね。それが終わると次にカイロプラクティクス？　まるでプロレス技のように私を羽交い絞めにするのだが、その密着ぶりが異常で私の顔のすぐ横で相手の顔が喘いでいる感じ。男の私が厭なのだから、女性患者はもっと厭だろうな。という事で次に行ったのがワースト1。そこは30年配の院長と、もっと若者と、受付のおばチャンと、グループの別院から来る鍼灸師。

アットホームな雰囲気でイラスト&写真付きのスタッフ紹介が壁に貼られ院長も社交的で話し上手なのだがただ一つ、技術が無い。私が剣道を始めて左足肉離れを起こした途端、あ、ここじゃ治らない、とわかった。

「つまり唯我独尊一人接骨院の弊害と、新世代仲良しクラブ接骨院の弱点を身を持って体験したって事ね」「でも実は私が一番困ったのは……。同じ月に別の接骨院には掛かれないって業界ルール。他の院に行くと保険が使えなくて自費になるでしょ」「それと受領委任制度。あれも一般人には全く理解できない。週刊誌のトップ記事になるほどの犯罪の温床ならば、今すぐやめれば?」「それには長い戦いの歴史が

会場外観

あるけれど、全ては患者さん国民のためってことなのよ」

さらに私の素朴な疑問は続く。何で名前が「骨接ぎ」「接骨院」のままなのか？ ２０１４年私が左足小指の激痛でもしや骨折かも？ の緊急事態になった時、頭の中に接骨院は全く思い浮かばなかった。骨折は整形外科でしょ？ 木刀を杖代わりに文字通り這うように辿り着いた最寄りの整形外科ですぐさまレントゲンを撮り骨折判明、ただちにギプスを巻いてもらった。そして松葉杖での暮らしは腰への負担がハンパなく、なので整骨院に何度か家まで訪問診療してもらったけれども、その時「骨折なら、すぐうちに来てくれればよかったのに」とは言われなかった。それどころか「骨折なんて一度も治療した事が無い」と言っていた。「あっ、そうか、そ骨折って今は接骨院が〈治療〉しちゃいけなかったんだっけ？」「いいえ、そんなことはありません」「逮捕されるんじゃない？」「疑うのなら行ってらっしゃい、お台場の健康施術産業展。カーキー体験談の疑問の数々、その答えがきっとあるかもよ」

ということでやってきました。「東京ケアウィーク」会期：2020年2月12日㈬〜14日㈮、会場：東京ビッグサイト。主催：ブティックス㈱。

その内容は6種類の展覧会がブースを分けて同時開催との趣向らしく、①第6回CareTEX展（介護用品等）、②第3回次世代介護テクノロジー展、③健康長寿産業展、④第3回超高齢社会のまちづくり展、⑤第1回在宅医療総合展、⑥第1回健康施術産業展と盛り沢山だが、私の注目は最後の「健康施術産業展」、施術産業とは整骨院や鍼灸院の事。何故第1回なのか？　これまで介護現場の人々から介護予防、健康維持に密接な関係がある整骨鍼灸院情報が欲しいとの声が上がったらしい。そして私は3本のセミナーを受講した。

◆専門セミナー①「柔整業界の今後の展望」

公益社団法人日本柔道整復師会理事、学術教育部長・長尾淳彦。

レジメを見ると、大学の授業さながら大正時代の昔から受領委任で健康保険を扱えるようになった柔整100年の歴史をひもとき、2000（平成12）年柔整養成校の急増に伴う国家試験合格者の大量出現を経て、話は２０１８（平成30）年の大改革に雪崩れ込む。つまりこの8年、未熟な治療院が続出し、業界が危機感を覚え改革に乗り出した、とまあこういうわけだ。「今は技術無く、電気してレセプトワンクリックで料金取ってるのが大半」だと長尾さんは嘆く。なので改革の中身は大胆だ。平成30年の入学生から教育カリキュラムに４単位（４週？）の臨床実習を取り入れる、とある。えっ？　今まで実習やってなかったの?!　卒業後、開業に当たっては実務経験３年が必要となった。えっ？　今までそれも無かったの?!

長尾セミナー

■電子請求に係るモデル実施について

２０１９年より東京都柔道整復師会で実施に向け実働中だという。「うちはレセコンと繋がっているから大丈夫、とお思いでしょうが、各デポでウィルスチェックするのが当然」「システムを作るのが当然だしシステムに入ってないと使えない」「個人経営が後で入ろうとすると膨大な労力とお金がかかる」「現在レセプト会社はテラ銭取れないので、こうした情報を流さない」って事は？　このセミナー、実は来場した若き柔整師たちに「日整に入会しようよ」との勧誘だったのか?!

■公的審査会の権限強化

これは、早い話がレセプト不正対策。健康保険組合等に設置された公的審査会の権限を強化して、患者ではなくレセプトを出した柔整師本人に直接面接・懇談・指導して不正を発見あるいは抑制するというもの。東京都を手始めに平成30年から既に始まっているという。

■匠の技　伝承プロジェクト

２０１９年にスタートした日整10年計画で目指す匠の技とは「骨折や脱臼の整復と固定」の事。「骨接ぎ技術、包帯固定の技術よ、蘇れ！」「今一度骨折脱臼患者の多くを接骨院へ」「その為に超音波観察装置（エコー）の正しい取り扱い技術の導入を」そして長尾さんは高らかに宣言してセミナーを締めくくる。「柔道整復師は必ず治す！」「柔道整復師は不正をしない！」

◆専門セミナー②「選ばれる治療院になるためのポイント～競争激化の中、勝ち残るために今やるべき事～」

㈱船井総合研究所ヘルスケア支援部グループマネージャー浜崎允彦。

■「広告規制の動き」２０１９年11月「景品表示法違反事例が出る」

柔整業界がガイドラインを作成した。この中で注目は治療院の屋号。今後新設は「接骨院」に統一する方向だという。また「治療」という言葉を厚労省は容認する方向だが、医師会が例によって猛反対しているらしい。

■6年間で4・4%の通院率アップ

これは目標(KPI)の話ではない。過去1年間、接骨院で治療を受けた経験のある人が17・3%。鍼灸院が11・4%(全く施術を受けていない人は74・9%)。この通院率は前回6年前の調査に比して4・4%のアップだという。つまりこの業界は成長産業! であり、今後74・9%もの未開拓分野を持っている! 流石、船井総研! 掴みはOK、業界に人気なのもうなずける。

■柔整師が働く接骨院の規模は?

最後に経営ステージの話となった。客席を見渡した講師が「この中でステージ1、つまり従業員10名以下、年商目安7000万円、1店舗経営の人は?」と投げかけると、若者10人の手が挙がった。「2~5店舗、ステージ2の人は?」若者5人の手が挙がる。「5~10店舗、ステージ3は?」若者3人の手が挙がる。そうか、意欲と野心に満ちた若き柔整師たちがこうしてセミナーに足を運びスキルアップを目指す。世代交代の波は確実にやってきているのかも。

◆セミナー③「日本一外傷がくる院の全貌〈3カ月で骨折700件〉」

（一般社団法人）日本柔整外傷協会理事長・大榎良則。

外傷協会とは聞き馴れないが、三重県鈴鹿市で介護併設大型鍼灸接骨院を経営する大榎さん（47）が平成24年に設立したもの。設立の理由は、現状接骨院で「ケガに対しての施術が全く行われていない事」あるいは「外傷患者自体が来ない事」。それではいけない、と大榎さんは、「柔整師本来の価値とスキルを向上させるため」柔整外傷協会を設立したという。

■「外傷」と「エコー」の時代

平成30年、骨折の療養費が510円上がった。さらに養成学校のカリキュラムもエコー画像＋30時間となった。「外傷への追い風」だ。今後エコーの無い接骨院は厳しいだろう。何故って学校で学んだのに治療院が「うちにはエコーが無い」

となったら新卒は誰も来ない。エコー機械も500万〜600万の高価なものは不要。柔整治療に特化した安価な「柔整モデル」を開発すればよい。

■外傷患者は何処にいる？

外傷患者の来院率は0・6％。なので外傷が来る仕組み作りが大切。そこで大榎さんたちは何と、冬シーズンに3カ月、雪山ゲレンデ接骨院を臨時開業した。その3カ月で骨折170件（スノボが多い橈骨骨折が90件＆鎖骨骨折22件）そして脱臼30件の外傷治療をした。施術は保存療法でOK。ウソではない、セミナー会場で流された映像を見るとスマホで撮影したらしく患者を2人の施術者が囲み、1人が腕を持ち上げ

大榎セミナー

ると、後方のもう一人が右肩の後ろをちょこっと押したか押さないうちに施術完了。指1本で（押して）入る。はまっているかどうかは、この後エコーで確認すればよい。

■売り上げ2億円

外傷だけではない。大榎さんは平成23年、一院で患者来院数1日312人（東海地方№1）を記録し、平成25年、年商本院で2億1000万を達成したという。今もグループ上位26名が各自1億円以上の売り上げを誇る。接骨院の形態も今後AM接骨院、PMデイ、夜はパーソナルトレーニングジムにしたいという。

夢は大きく「柔整師を子どもの憧れの職業№1にしたい！」。

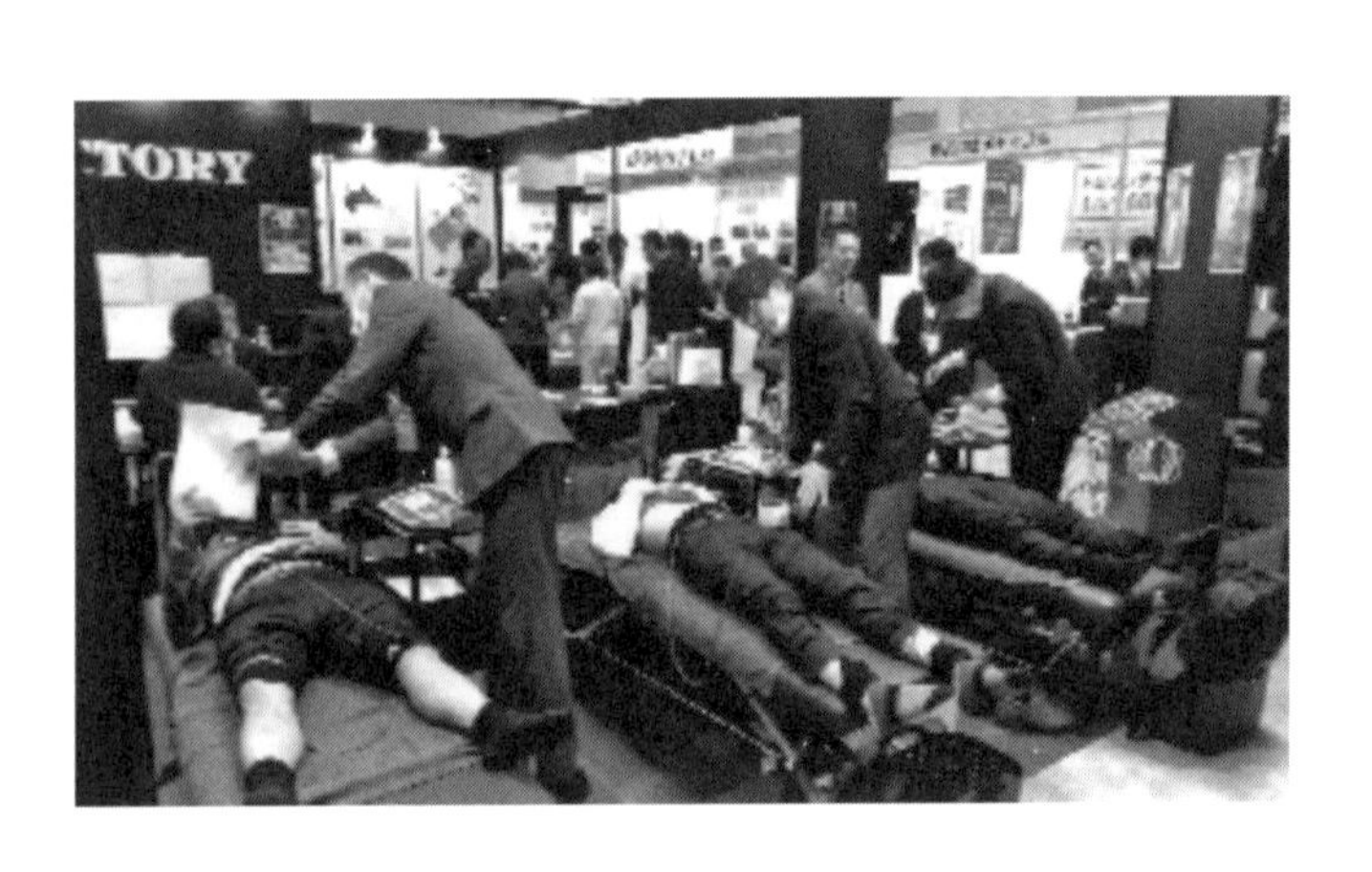

いやあ、驚いた。柔整業界ってこの10年、悪いニュースばかりの印象だったがとんでもない。その裏では世代交代が着実に進み、今や「柔整再発見」「柔整の逆襲」を掲げ、明るい未来を感じさせる活気に満ちた展示会であった。

あとがき

このコラムは柔整（接骨院）の業界誌、隔月刊『からだサイエンス』に2002年から18年間「カーキーのおもしろ見聞録」として連載されたものです。

全コラム83本の内、15本を選抜したものです。

なので文中にある「ヘンシューチョー」とは、この雑誌の編集長、枝千恵子さんの事。この場をお借りして、長年にわたる試合場の提供を感謝申し上げます。又、以前は三鷹、今は武蔵野が社の住まいなのでそのような在所名が文中に登場し、読者を惑わせるかもしれません。平にご容赦。ネタを決めるのはヘンシューチョーです。が、文中のヘンシューチョーとのやりとりは実は忠実な再現ではありません。筆の勢いのまま私の妄想世界に突入するのが常なので、誤解無きよう、一言申し添えるところです。

私の剣道のテーマは「やって楽しい、見て面白い」。

コラムのテーマも「書いて楽しい、読んで……」、さて面白かったかどうか？
審判員の皆様の判定を仰ぐ次第です。

三島由紀夫没後50年の秋の日に

安藤カーキー

安藤　カーキー（あんどう　かーきー）

香川県出身（年齢不詳）。広島大学文学部哲学科中退。映像監督＆ライター。代表作：TV『スーパーから有機が消える日』（テレビ朝日1999)/『孝重の戦争』（自主制作2014)/著作『楊貴妃に恋をした男たち』（共著2000)。剣道四段。東京都シニア剣道フェスティバル３位（65〜69歳の部2019)。

カーキーのおもしろコラム15本勝負！

2020年11月25日　初版第１刷発行

著　　者　安藤カーキー
発 行 者　中 田 典 昭
発 行 所　東京図書出版
発行発売　株式会社 リフレ出版
〒113-0021　東京都文京区本駒込 3-10-4
電話 (03)3823-9171　FAX 0120-41-8080
印　　刷　株式会社 ブレイン

ISBN978-4-86641-365-5 C0095
Printed in Japan 2020